FOLIE

DU MÊME AUTEUR

AUX ÉDITIONS ZOÉ

Le Banc « réservé aux Blancs », nouvelle,
traduit par Christian Surber, 2004

Les Monuments de la propagande, roman,
traduit par Christian Surber, 2005

La Vue éclatée, roman,
traduit par Christian Surber, 2007

Clés pour Johannesbourg, roman,
traduit par Nida et Christian Surber, 2009

CHEZ D'AUTRES ÉDITEURS

Portés disparus, nouvelles,
traduit par Jean-Pierre Richard,
Éditions Complexe, 1997

IVAN VLADISLAVIĆ

FOLIE

Traduit de l'anglais (Afrique du Sud)
par Aurélia Lenoir

ZOE

**écrits
d'ailleurs**

La collection Écrits d'Ailleurs
est dirigée par Regula Locher

Nous remercions

prohelvetia

d'avoir accordé son soutien
à la traduction de ce livre,

et la Loterie romande
pour son soutien à la collection Écrits d'Ailleurs

Les Éditions Zoé sont au bénéfice d'une convention
de subventionnement avec la Ville de Genève,
Département de la culture

La traductrice tient à remercier Jean-Pierre Richard,
sans qui cette traduction n'aurait pas vu le jour.
Merci aussi à Jean-Yves, pour ses relectures attentives,
ses idées lumineuses et son soutien constant.

Titre original :
The Folly

© Éditions Zoé, 11 rue des Moraines
CH-1227 Carouge-Genève, 2011
www.editionszoe.ch
Maquette de couverture : Silvia Francia
Illustration : © Jean Revillard,
Les Dedans de la jungle de Calais, 2005-2009
ISBN 978-2-88182-847-8

Pour Minky

Nieuwenhuizen, debout sur le bas-côté, dans l'obscurité, examinait la rue. D'une main, il tenait une grosse valise marron imitation cuir et, de l'autre, les quelques piécettes froides que venait de lui rendre le chauffeur. Au bout de la rue, les feux arrière du taxi s'embrasèrent, puis s'évanouirent.

Nieuwenhuizen se tourna vers la parcelle. Le terrain, d'un demi-hectare à peine, était plus petit qu'on ne le lui avait laissé entendre, envahi par les hautes herbes et le chiendent. Une haie indisciplinée qui se découpait sur le ciel nocturne le bordait sur deux côtés, tandis qu'un mur en ciment, dont les panneaux préfabriqués avaient la forme de roues de chariot, fermait le troisième. Le quatrième côté, où il se trouvait, était autrefois séparé de la rue par une clôture. Les vestiges de cette frontière – portail, rouleaux difformes de barbelés, poteaux de bois au pied-bot de béton – jonchaient le sol. Il serra sa monnaie dans une main, la poignée d'éponge de sa valise dans l'autre, enjamba un enchevêtrement de barbelés et s'enfonça dans la végétation.

Les tiges cassantes qu'il couchait et écrasait sous ses chaussures laissaient échapper une poudre âcre. Respirant la poussière, il saliva, avala et, les yeux rivés sur

7

l'horizon, poursuivit son avancée. Au bout d'un moment, il trébucha sur une fourmilière. Il trouva dommage de ne pas profiter de cette découverte, aussi monta-t-il sur le tertre et, l'air solennel, contempla tour à tour les quatre coins de son domaine. Le visage de l'homme était large, sa bouche ne laissait apparaître qu'une fente, il avait le nez camus, les orbites insondables, les sourcils saillants, le front bombé et bosselé en son centre; le tout se prêtait aux jeux d'ombre et de lumière du clair de lune. L'étude du terrain révéla la présence d'un arbre isolé dans l'angle de la haie, et il choisit d'y établir son campement. Nieuwenhuizen suspendit son écharpe à un épineux. Puis, juché sur sa valise, sous l'arbre, il regarda les fenêtres injectées de sang de la maison, derrière le mur orné de roues de chariot, pour voir ce qui allait se passer.

Dans le salon de cette maison, M. et Mme Malgas, les propriétaires, regardaient le journal de vingt heures à la télévision.

«C'est reparti», dit M. Malgas au moment où débutait le reportage sur les émeutes, et il coupa le son avec la télécommande.

Au même moment apparut sur l'écran une cahute en flammes, assemblage de poteaux fendus en deux, de cartons et de chutes d'aggloméré, rafistolé avec du papier journal et des sacs plastique. Elle était cernée par quantité d'autres cahutes strictement identiques, à cette différence près que, pour une raison inconnue, aucune ne brûlait.

«Ça, c'est rien, dit Mme Malgas d'un air lugubre. Attends de voir la suite. Le pire est encore à venir.»

Sur quoi elle bondit de son fauteuil Gomma Gomma, attrapa l'assiette posée sur le plateau-télé de son mari,

8

fit glisser dans la sienne deux vertèbres qui atterrirent dans une flaque de gras, racla les deux couteaux qu'elle posa ensuite ostensiblement, fit grincer les dents des fourchettes qui retenaient grains de riz et reliefs de mouton, jeta les serviettes froissées par-dessus ces décombres, glissa l'assiette vide sous la pleine, posa l'ensemble sur la table basse et revint s'asseoir (le tout d'un seul mouvement théâtral).

«Où est-ce qu'ils sont tous passés?» s'étonna M. Malgas.

La cabane brûlait encore. Des rideaux déchirés de flammes jaillissaient des fenêtres, et des colonnes de fumée s'élevaient par les trous laissés dans les murs, à l'endroit où les rapiéçages s'étaient consumés. La fumée montait droit au ciel. L'image se brouilla avant de retrouver sa netteté. Puis le toit de tôle ondulée, lesté de pierres, entraîna l'ensemble dans sa chute en une explosion silencieuse d'étincelles et de braises. Au beau milieu des planches calcinées, la caméra montra un châlit de fer, les ressorts ardents d'un matelas et une malle de fer-blanc cadenassée. Puis elle cadra une paire de bottes fumantes.

Mme Malgas regardait les bottes.

M. Malgas, propriétaire d'une quincaillerie, absorbé dans la contemplation d'un morceau de tôle ondulée, s'exclama:

«Ça, c'est du fer!

— Chuut!»

Tandis qu'il essayait de ramasser du petit bois dans l'obscurité, Nieuwenhuizen trébucha à nouveau sur la fourmilière et s'étala de tout son long. Au moment où il se releva, il posa la main par hasard sur un objet dissimulé dans l'herbe. Fébrile, il l'en dégagea. C'était un vieux baril d'essence, d'une contenance d'environ vingt-cinq litres, au couvercle grossièrement découpé et au fond quelque peu déformé. Il le secoua pour en extraire un peu d'herbe et de sable, le coinça sous son bras et, du poing, tapa sur le fond pour lui redonner sa forme initiale. Il le tourna vers le clair de lune. Malgré tous ses défauts, l'objet semblait riche de promesses. Nieuwenhuizen, ravi, en eut aussitôt un infime avant-goût: en rebroussant chemin vers le campement, il y transporta sa récolte dérisoire de brindilles.

Comme il serait agréable de s'asseoir sur une pierre, songea-t-il, mais il n'en trouva aucune de taille ou de forme satisfaisante; faute de mieux, il s'assit sur le baril posé droit. Il rassembla un tas de feuilles mortes. Puis il réunit les brindilles en un fagot qu'il brisa ensuite en deux.

L'espace d'un instant, il se vit en train de briser les os de ses doigts transformés en petit bois, et il en eut la nausée. Il agita les mains pour s'assurer de leur bon fonctionnement. Rassuré, il ramassa métacarpes et phalanges épars pour en faire un nid, et y jeta une allumette.

Accroupie dans une mare laiteuse au fond de la tasse, la grenouille posait un œil vitreux sur M. Malgas. Il la recouvrit d'une cuillerée de café instantané et l'ébouillanta. La grenouille ne broncha pas.

Ils avaient acheté cette tasse dans un magasin d'usine qui bradait des fins de série, aussi était-elle la préférée de Mme Malgas – et qu'importe tous ses défauts. M. Malgas, lui, la trouvait d'un goût douteux. De sa cuillère, il remua le café, taquinant méchamment la grenouille tapie dans les profondeurs du liquide sombre. Il repêcha le sachet de thé au fond de sa propre tasse, décorée de l'inscription

«Vive le bricolage» en lettres beige sur fond chocolat. Il n'aimait pas trop le côté gadget de l'objet, mais, comme sa femme le lui avait offert pour la fête des Pères, il s'en servait par devoir. Avec le pouce, il écrasa le sachet de thé contre la cuillère pour en extraire l'essence et le jeta dans la poubelle à côté de la cuisinière. D'un index, il attrapa les deux tasses par l'anse, emporta trois biscottes au beurre – une pour la patronne, deux pour lui – et, du coude, éteignit la lumière de la cuisine.

Une fois sur le seuil, dans l'obscurité, il sentit une odeur inhabituelle lui chatouiller les narines. Des bruits de tambour. Évidemment, la vision d'une cahute en flammes qui s'effondrait lui traversa l'esprit. Il huma l'air, s'efforçant d'isoler l'odeur importune des vapeurs de cuisine et des effluves du désodorisant fraîcheur pin.

Un feu de bois.

«Soupir!»

Il posa son chargement et essuya la vitre embuée, au-dessus de l'évier, pour y ménager un hublot. À l'autre bout du terrain voisin vacillaient les petites mains du feu de Nieuwenhuizen. Entre les flammes et sa propre main qui essuyait la vitre, une relation étroite s'imposa à l'esprit de M. Malgas, que la honte étreignit soudain.

«La patronne!»

Elle reconnut ce ton: il était impérieux. Son mari l'employait quand il voulait qu'elle lâche son ouvrage pour le rejoindre immédiatement, lorsqu'il avait besoin d'elle pour constater quelque observation insignifiante. Qu'était-il encore allé inventer, cette fois? Une biscotte à profil humain? Une chose dégoûtante dans le lait? Une bulle au bout d'un robinet? Une toile d'araignée? Un phasme posé à l'extérieur de la vitre?

«La patronne!»

Le ton était insistant. Un accroc à son pull, peut-être? Elle se contenta de maugréer son «*Ja*» habituel.

«Viens voir un peu, dit-il.

— J'arrive!»

Une actrice qu'elle avait vu jouer les victimes dans un feuilleton la regardait à travers le bol d'un mixeur, l'assurant de la propreté de l'objet. Elle se leva à contrecœur et se rendit à la cuisine.

À l'aide d'un torchon, le patron agrandit le hublot sur la vitre, et sa femme, à son tour, jeta un œil.

Les flammes vacillaient.

«Tu vois bien, dit-elle, l'air entendu. C'était un mauvais présage. Il n'y a pas de fumée sans feu.»

Puis, abasourdie par le silence inquiet de son mari, elle poursuivit, d'une voix geignarde et affectée:

«Tu veux que j'appelle les pompiers?

— Il y a quelqu'un, là-bas, répondit-il. Quelqu'un qui entretient le feu. Un homme, il me semble.»

À cet instant, une haute silhouette passa devant le foyer, projetant une ombre gigantesque sur la maison.

«Tu veux que j'appelle les flics?» demanda-t-elle, mélancolique.

Au même moment, le feu s'évanouit. Nieuwenhuizen, qui s'apprêtait à aller se coucher, venait de renverser le baril sur les flammes pour les étouffer.

M. et Mme Malgas scrutaient l'obscurité, gagnés par l'impression déconcertante d'avoir rêvé.

Nieuwenhuizen était allongé sur le dos, la tête posée sur un coin de sa valise, les pieds sur le baril qui diffusait la chaleur puissante des braises. Il leva les yeux et, à travers les branches de son arbre, vit une lune zébrée, embrochée sur une épine.

Le sol se déroba. Il étendit les bras, ouvrit les mains, recourba les doigts, les enfonça dans l'herbe et massa la terre jusqu'à ce qu'ils atteignent le sous-sol et, par un geste d'une extrême douceur, en apaisent les soubresauts.

Alors il releva la tête et vit à nouveau la maison, de l'autre côté du mur aux roues de chariot. Là-bas, au-dessus d'une torsade de barbelés, encadrés par un ovale de givre, deux visages blessés et hagards étaient suspendus, prêts à tomber.

Du caoutchouc brûlé!

Le patron était étendu sous le drap, comme un piéton mort. La patronne devinait sous les couvertures le contour saillant de la hanche, la rondeur de l'épaule et le renflement du crâne. Elle éteignit la lumière, chercha à tâtons l'image évanescente du lit et, toute frissonnante, se glissa sous le drap.

Au moins, le corps près d'elle était chaud. Elle se colla contre le dos de son mari, enveloppé de flanelle, et chassa ses pieds pour faire de la place sur la bouillotte. L'air chaud retenu sous les draps fleurait le linge parfumé au citron, les gants de chirurgien et le Vicks Vaporub. Elle passa la main par-dessus la hanche du patron, glissa les doigts sous la veste de pyjama et tâta la chair odorante et onctueuse du ventre.

«Bas les pattes!» ordonna-t-il, frissonnant, le ventre rentré.

Docile, elle serra les poings.

Levé à l'aube, Nieuwenhuizen se débarrassa de ses draps en papier journal et de ses couvertures d'herbe. Il retira les cendres du feu et creusa un trou au cœur des braises encore chaudes. Il sortit de sa valise un paquet enveloppé d'aluminium (son petit déjeuner) et l'y enfouit.

Alors seulement il leva les yeux pour contempler son nouveau territoire.

Il le trouvait à son goût. Le profil du terrain et ses dimensions étaient parfaites, tout comme l'harmonie des couleurs, sans oublier les panoramas et points de vue qu'il offrait. D'or et d'ambre mouchetées, noyées de chaque côté dans les brumes du lointain, les falaises abruptes de la haie le surplombaient; le vague des cieux infinis, azur à l'horizon, bleu ciel à mi-distance, bleu marine arrondi en dôme au-dessus de lui; le veld à perte de vue, longue houle blonde qui venait mourir contre les ombres de la haie et qu'agitait un souffle de vent, tantôt tourbillonnant au gré des fourrés et des herbes folles, tantôt déferlant sur les rochers, écume de bruyère bouillonnante qui venait se briser au loin contre le mur aux roues de chariots − tout cela lui plaisait infiniment.

La maison de l'autre côté du mur lui plaisait moins. Le teint terreux et vérolé, elle était sujette à des éruptions de schiste rose tout autour de fenêtres trop rapprochées, surmontées d'avant-toits broussailleux. Quelles pensées pouvaient bien agiter ce sinistre quartier général?

À la froide lumière du jour, il apparut clairement à M. et Mme Malgas qu'ils n'avaient pas été le jouet d'une hallucination. L'homme qu'ils avaient aperçu la veille au soir était toujours là, en chair et en os, et surtout en os, comme devait le faire remarquer M. Malgas.

Celui-ci, peu après le lever du soleil, avait été réveillé par des battements de tambours. Effrayé, il était resté allongé, immobile, à écouter cette musique frénétique et le contrepoint plus frénétique encore des battements de son cœur. Le bruit s'était fait plus fort, plus proche, plus effréné; M. Malgas comprit que c'était un martèlement. D'un seul coup, il sut d'où il provenait. Il se leva d'un bond et enfila sa robe de chambre.

Les yeux mi-clos, Mme Malgas regarda son mari s'habiller à la hâte et se glisser sans bruit hors de la pièce. Lorsqu'il fut parti, elle attrapa le réveil et approcha le visage inexpressif de l'objet près du sien. Puis elle annula la fonction «réveil» et remonta les couvertures par-dessus sa tête. Elle sombra immédiatement dans le sillage salin du sommeil de son époux et plongea tête la première au pays des songes.

Pendant ce temps, en chaussettes dans la lumière blême, M. Malgas avança à pas furtifs sur le pâturage moelleux du tapis, dépassa les masses moutonnantes des fauteuils endormis debout sur leurs pieds, et gagna une fenêtre qui offrait un bon point de vue sur le terrain.

L'étranger s'employait à dresser une tente de toile rouge vif dans le coin sous l'arbre. La technique adoptée frappa aussitôt Malgas, car elle était pour le moins insolite. Insolite? Disons plutôt inédite. En bref: armé d'une pierre, l'homme plantait les piquets au rythme d'une mélodie entraînante qu'il fredonnait d'une voix nasillarde, en expirant à grand bruit des nuages de condensation. Entre deux coups, la pierre au-dessus de la tête, il s'arrêtait, dans une pose d'extrême concentration, et guettait un signal donné par sa chansonnette. Puis il laissait retomber le caillou, de telle sorte que ce n'était pas lui en apparence qui abattait la pierre mais bien celle-ci qui entraînait la main vers le bas. À chaque impact sur le piquet, l'étranger s'envolait comme une marionnette, en cliquetant de tous ses membres.

Entre chaque piquet, Nieuwenhuizen s'étirait le dos et faisait le guet du coin de l'œil, position qui permit à Malgas d'avoir la confirmation de son impression de la veille : l'étranger était d'une taille et d'une maigreur inhabituelles, et il ne s'agissait pas là d'une simple illusion d'optique. Il portait une tenue de brousse kaki trop grande pour lui et une paire de chaussures artisanales aux semelles taillées dans des pneus, qui accentuaient l'extrême longueur de ses jambes filiformes.

Lorsque la patronne refit surface, il faisait jour dans la chambre. Elle jeta un coup d'œil au réveil et vit qu'elle avait dormi une heure dix. Pas un bruit dans la maison. Elle se leva et alla chercher sa robe de chambre, pendue derrière la porte. Par l'embrasure, elle vit le patron, tache sombre sur la gaze claire de la fenêtre du salon.

Nieuwenhuizen se promenait d'un pas tranquille, à l'ombre de la haie. De ses chaussures, il écrasait des forêts d'herbe que le givre avait rendue cassante et marquait la tendre peau de la terre de croix et de flèches. Tout en comptant ses pas à voix basse, il s'interrogeait sur la variété de cette haie. Elle perdait ses feuilles : à quoi pouvait-elle bien servir ? Il s'arrêta pour inspecter une baie replète nichée dans la fourche d'une branche. Il n'en avait jamais vu de pareille. Peut-être l'arbuste appartenait-il à la famille des baccifères plutôt qu'à celle dont on faisait des haies ? Il cueillit le fruit entre deux ongles crochus et reprit sa route. Puis s'arrêta. Il avait perdu le compte de ses pas. Avec humeur, il secoua une branche, disséminant ainsi foison de feuilles duveteuses, en attrapa une au vol, la froissa entre le pouce et l'index pour la renifler et la prisa doucement. Ah !

«J'en ai monté, des tentes, dans ma vie, fit le patron à la patronne un peu plus tard, au petit déjeuner. Comme tu sais, je suis du genre aventureux, j'ai visité des endroits plutôt insolites, mais je n'ai jamais rien vu de pareil. Complètement fantaisiste. Pousse-toi de cette fenêtre.» Mme Malgas ne bougea pas. Elle regardait l'étranger brouter une feuille, lever ses grands pieds et les reposer calmement, les yeux rivés sur le sol. Les longs membres et les articulations noueuses de l'homme la fascinaient. Clip, clop. La démarche était celle d'une antilope, paresseuse et désarticulée.

«Qu'est-ce que c'est, déjà, comme type de tente? demanda-t-elle.

— Une tente à deux places.

— Précisément. C'est ça qui me chiffonne. Lui, il est tout seul. Qu'est-ce qu'il va faire d'une tente à deux places?

— Il est assez grand.

— Vas-y, prends sa défense. Mais écoute bien ce que je te dis: cet homme n'augure rien de bon. Je le sens à des kilomètres.»

Elle replaça deux mèches de cheveux raides derrière ses oreilles et leva la tête, exhibant ainsi deux narines très ouvertes et bien dessinées, comme des guillemets.

«Peut-être qu'il aime avoir un peu d'espace autour de lui, dit le patron. Il y en a qui apprécient.

— Je persiste à croire qu'on devrait appeler les flics. Si c'est les grands espaces qui lui plaisent, qu'ils le mettent dans un train, direction le *platteland.*»

Il décalotta son œuf à la coque et, de la pointe du couteau, en remua le contenu. Entre le pouce et l'index qu'il avait épais et bruns, il prit une fine mouillette beurrée (à dire vrai, c'était de la margarine), la plongea dans l'œuf, en ôta précautionneusement l'excédent sur le bord de la coquille et la porta toute dégoulinante à ses lèvres. Il mastiqua et dit :

«Je ne veux pas que tu fasses de bêtises quand je serai au travail.

— C'est facile de dire ça. C'est pas toi qui dois rester assis là toute la journée, à supporter l'Autre.

— Soupir !

— Tu pourrais pas arrêter de dire ça ?

— De dire quoi ?

— "Soupir !" Ça m'exaspère.»

Il plaça le morceau de coquille découpé sur le bout de son pouce. On aurait dit un capuchon miniature collé à un serre-tête de chair blanche.

De la main droite, Nieuwenhuizen s'empara d'une branche et l'agita vivement.

«Et si c'était un dangereux criminel ? reprit-elle. Un criminel en cavale.

— S'il était en cavale, il ne serait pas là, à la vue de tous, à faire un boucan de tous les diables. Pousse-toi donc de cette fenêtre.»

Elle se poussa de la fenêtre.

«Tu imagines toujours le pire. Si ça se trouve, c'est un prof de fac qui traverse une mauvaise passe. Si je devais proposer une explication, c'est ce que je dirais. Regarde un peu la tête qu'il a. Quand je la vois, cette tête, je dois dire qu'elle me fait plutôt bonne impression, là, au creux de l'estomac.»

Il désigna l'endroit, de la pointe toute jaune du couteau. La patronne se laissa tomber sur une chaise et s'absorba dans la contemplation de l'œil de grenouille, qui de son côté la regardait sans sourciller, malgré le dépôt gluant laissé par le café soluble.

18

«Tu crois que c'est un de ces squatters dont on nous rebat les oreilles? Qu'il va construire une cabane et inviter des centaines de copains à venir faire la même chose? "La famille élargie." Hein, qu'est-ce que tu en penses? Ils vont assembler des tas de trucs: cageots de tomates, sacs poubelle, carcasses de caddies, de voitures, panneaux d'affichage, de signalisation routière, sacs en toile, cages à poules, plastique, papier, polystyrène...

— Ça suffit.

— ... cuivre, bronze, aggloméré? Parfait! Ils vont nous chasser de chez nous. Mettre le volume de leur radio à fond. Errer dans la rue comme des chiens. Arracher les lattes de notre parquet pour faire du feu.»

À l'aide d'un tesson de bouteille, Nieuwenhuizen creusa une rigole tout autour de sa tente. Puis il passa en revue le contenu de sa valise dans laquelle un large éventail d'ustensiles et de provisions était douillettement installé sur des coussins de slips, de tricots de corps et de chaussettes roulées en boule qui avalaient leurs orteils. Ses doigts fureteurs réveillèrent une odeur de moisi qui lui évoqua le corps pelucheux des papillons de nuit; il sentit alors que leur goût exécrable lui venait à la bouche. Afin de dissiper cette impression répugnante, il déballa à la hâte quelques affaires qu'il disposa à sa guise aux quatre coins du campement. L'effet lui plut. Au tour des meubles, à présent. Il ramassa quelques pierres et construisit une sorte de table rudimentaire, des chaises, ainsi qu'une cheminée, dotée d'une dalle et d'un foyer astucieux.

Il s'arrêta pour souffler un peu.

Tandis qu'il se prélassait sur son siège de pierre, le maître de maison sortit. Nieuwenhuizen suivit sa progression grâce au ronflement du moteur, au grincement de la boîte de vitesses, au fracas des barrières et aux claquements de portière. Bientôt, il vit apparaître, lentement mais sûrement, une camionnette cabossée, surplombée d'une capote artisanale, d'une galerie croulant sous des planches et une brouette renversée. Bravo! À point nommé! Sur la portière, on distinguait une inscription : une silhouette à demi effacée, suivi de monsieur...x, le nom de famille était dissimulé par une trace de peinture rouge. La camionnette se gara le long du trottoir. Le conducteur sortit, s'approcha d'un pas lourd de l'arrière du véhicule et donna un coup de pied dans le pneu. Il regarda le bout de sa chaussure. Puis il alla donner un coup de pied à la roue avant et regarda à nouveau le bout de sa chaussure. Enfin, il rentra dans l'habitacle et redémarra.

Longtemps après que le bruit du moteur se fut éloigné, Nieuwenhuizen resta cloué à son siège, tête penchée, mâchoire pendante. Puis il tâcha de se ressaisir. Il avait encore du pain sur la planche.

Tout d'abord, il traça des yeux quelques lignes imaginaires reliant de minuscules points de repère, brindille et monticule, pavé et feuille, poteau et pilier, branche et baie : son territoire se trouva ainsi emprisonné dans un élégant quadrillage dont il numérota méthodiquement les cases, abscisse en chiffres romains, ordonnée en lettres capitales, et il passa des heures à piller chacune d'entre elles jusqu'à ce qu'elles aient révélé tous leurs trésors. Il fut surpris de la quantité d'objets utiles dissimulés dans l'herbe : bouteilles de bière et canettes de soda, chambres à air, bouts de bois, bouts de métal, gribouillis de fil de fer, isolateurs, vis, sacs plastique, cartons (en fait, il n'y en avait qu'un, donc : *un* carton), journaux déchirés. Il plaça toutes ses trouvailles dans le baril pour les rapporter au campement et, une fois de retour, les mit de côté, en cas de besoin. Il récupéra aussi une douzaine de beaux poteaux de bois, ainsi qu'une boîte aux lettres abandonnée en forme de chaussure. La trouvaille qui le ravissait le plus était un panneau «À VENDRE» fort abîmé, qu'il parvint à extirper du linceul de barbelés de la clôture. Il était tellement heureux qu'il en nota la position sur le quadrillage (XA) et regretta de ne pas avoir pensé à faire de même pour ses autres découvertes. Il retourna l'objet. Il lui donna un bon coup de pied afin de déloger quelques incrustations de rouille. On voyait qu'il était utile à bien des choses. Mais il ne tarda pas à lui trouver un emploi précis : percée de quelques trous à des endroits stratégiques, cette plaque de métal toute bête ferait une excellente grille à barbecue.

À midi, il goûta l'ombre épineuse de son acacia, s'installa confortablement et, à l'aide d'une poignée de graviers et d'une ingénieuse brosse en barbelés de son invention, décapa la plaque de toutes ses traces de rouille et de peinture écaillée. Puis il la perça de quelques rangées de trous, au moyen d'un grand clou qu'il avait apporté avec lui et d'un silex bien proportionné, acquisition récente qu'il utilisait en guise de marteau.

Il eut alors le loisir de réviser ses premières impressions sur son nouveau voisin. Il n'était pas déçu. Premièrement, il supposa que le numéro du coup de pied dans le pneu lui était destiné, preuve certaine que le bonhomme avait hâte de lier connaissance. Deuxièmement, le voisin travaillait, ce que son air affairé et sa vieille guimbarde laissaient du moins supposer. Troisièmement, il avait une étonnante présence physique. Il était solide et bien bâti. Le visage était couleur mastic, mais les bras, pleins de santé, rouges comme le bois de l'imbila. En manches de chemise, par ce temps? Ou bien c'était une force de la nature, ou bien il essayait de l'impressionner. La tête semblait peut-être un peu carrée, les cheveux, aplatis sur le dessus, comme un paillasson, mais les traits lui avaient paru avenants et amicaux. Personne n'est parfait.

Ensuite venait la femme. Nieuwenhuizen ne savait trop quoi en penser. Pour le moment, elle était invisible, mais à plusieurs reprises, dans la matinée, il avait vu son visage blafard se lever derrière la brume des voilages ou se coucher derrière l'horizon d'un rebord de fenêtre.

Mes voisins de palier, pensa-t-il, sauf que je n'ai pas de palier.

Dans l'après-midi, ses travaux de bricolage quasiment achevés, il posa les yeux pour la centième fois sur le mur préfabriqué, et son sang ne fit qu'un tour lorsqu'il s'aperçut que les panneaux en forme de roues de chariot alternaient avec des soleils levants. Il se demandait encore comment ces dessins avaient pu échapper à sa vigilance quand il reçut un deuxième choc : et si c'était des soleils couchants! Comment savoir?

Il commença alors à mettre violemment en doute chacune des impressions qu'il avait eues depuis son arrivée dans ce trou perdu. Il inspecta la maison bâtie derrière le mur avec un intérêt renouvelé. Elle n'avait pas bougé, ce qui était rassurant, mais ses traits de plâtre passeraient-ils pour blancs? N'étaient-ils pas plutôt blanc cassé, tirant sur le crème? Voire écrus? Même problème pour le toit, rouge, certes, mais de quel rouge? Framboise? Il n'était certainement pas de la même nuance que les bougain-villées qui grimpaient le long d'un des piliers du *stoep*. Une seconde. Qu'est-ce que c'est? Des fleurs, hors saison? Elles avaient l'air faites de papier froissé piqué sur des tiges semblables à des cure-pipes. Ce devait être l'œuvre de la femme. Il tourna la tête vers les fenêtres désertes, encadrées par des rideaux auxquels des embrasses à pompons donnaient la forme de sabliers, et essaya de les associer à des pièces : Cuisine. Salon. Chambre. Salle de bains ? Non, chambre. Salon. Deux salons ?

Mme Malgas, fort mal dissimulée par une lampe du séjour depuis plus d'une heure, était stupéfaite de la façon singulière dont l'étranger se servait du marteau, et fut plus sidérée encore lorsqu'il étendit brusquement les jambes. Les rotules de l'homme rebondirent comme si elles étaient montées sur ressorts, et sa tête dodelina comme celle d'une poupée. Il avait tout l'air d'un pantin manipulé par un ventriloque amateur. Tout à coup, il s'écroula contre le tronc de l'arbre, l'air endormi. Mais il bondit à nouveau et claqua ses talons l'un contre l'autre avec une telle force qu'il en perdit l'une de ses chaussures.

Là, il fixa Mme Malgas avec une telle intensité qu'elle fut persuadée d'avoir été découverte. Elle se réfugia dans sa chambre et s'allongea, le temps de retrouver ses esprits. Elle alluma la radio. Une voix familière lui promettait de lui révéler le moyen de faire disparaître les taches de sang des tissus délicats – restez avec nous – et lui rappela que l'oisiveté est mère de tous les vices. Pour y remédier, elle sortit de sa boîte à ouvrage une chaussette du patron, en laine rouge brique, aussi épaisse qu'une couverture, l'enfila sur une ampoule grillée qui servait d'œuf à repriser et faisait bâiller le trou au talon, puis choisit un morceau de fil assorti qu'elle passa dans l'aiguille.

Ne jamais plonger artic. tach. de sg ds eau ch. ou fr. – risque de figer la tch. Presser le jus d'1 citr. ds gobel. et bien remuer. Incorp. 1 beau bl. d'œuf + 1 cuil. à s. de bicar. Asper.

Une fois la chaussette reprisée, elle remisa son ouvrage dans la boîte à couture et, à moitié assoupie, resta allongée, les yeux au plafond. La radio prodiguait conseils et astuces. Le temps passait. Regard vers le réveil. L'heure de préparer le dîner. Dans la cuisine, elle déversa sur le formica de la table le contenu d'une tasse de riz qu'elle tria. Puis elle recueillit les grains cassés ou mal blanchis dans le creux de sa main et les porta à la poubelle. Tout en appuyant sur la pédale pour soulever le couvercle, elle ouvrit la fenêtre et éparpilla les grains dans le parterre de gazanias. Aucune trace de l'étranger; pourtant, sa tente luisait comme une lanterne au crépuscule.

Nieuwenhuizen fit tourner ses mains dans l'air rose et regarda la lumière jouer sur ses veines épaisses. À travers le chantournement de ses doigts, il vit l'éclair étrange des branches épineuses contre la toile de la tente. Les parois ondoyaient au gré de ses inspirations et expirations et, malgré lui, il se laissa peu à peu gagner par le sommeil. Il tourna péniblement sa grosse tête sur l'oreiller, un simple sac plastique bourré de paille, ce qui le fit crisser. Il se retourna violemment sur le ventre, enfouit son visage dans le tumulte puis étendit bras et jambes jusqu'à ce que l'extrémité de chacun de ses membres soit calée aux quatre coins de la tente.

*

«Toute la journée, dit la patronne, il n'a fait qu'aller et venir comme un fou dans sa cellule, marcher sur son ombre et ramasser de la ferraille. Comme ça.» Elle imita les enjambées boiteuses de Nieuwenhuizen. «Et puis après, il a tapé, *boum-boum-boum,* pendant trois heures d'affilée. J'ai cru devenir folle.» Elle fit également une démonstration des coups de marteau, en frappant des mains et en secouant la tête. «Et puis, pour couronner le tout, il s'est agité comme ça – deux fois!» Elle s'assit dans un fauteuil Gomma-Gomma et mima par deux fois les spasmes de Nieuwenhuizen de façon saisissante.

Le patron était perplexe. Il fixait les pantoufles à poils longs de sa femme, assises comme deux chiens au bout de ses jambes ankylosées, et ne savait quoi répondre.

«Tu aurais pu appeler, au moins, pour savoir si tout se passait bien.»

Tandis que Mme Malgas servait le dîner, son mari faisait le guet dans le salon obscurci. Isolé au milieu du veld blanchi par le clair de lune, prêt à être englouti par la haie comme par une vague sur le point de se briser, le campement lui parut une île de lumière et de chaleur. L'étranger s'accroupit au-dessus du foyer. Une lampe-tempête suspendue à une branche au-dessus de lui beurrait légèrement ses épaules, et les braises éclaboussaient de sang son visage baissé. Un écran de fumée glissait sur le paysage et en arrondissait tous les angles.

M. Malgas ouvrit doucement une fenêtre, avança la tête entre les barreaux et renifla la brise, qui exhalait un fumet de viande. Succulent. Il était toujours là, les mains derrière le dos, les narines frémissantes, lorsqu'elle entra avec leurs assiettes, tira les rideaux sous son nez et alluma la télévision.

«Le riz a séché, dit-elle. Je n'arrive pas à me concentrer, avec tout ce chambardement.

— Ça fait un petit bout de temps que j'étudie notre ami et son campement, dit-il alors qu'ils commençaient à manger. Tout ça m'a l'air bien réjouissant.»

Il se disait qu'il trouvait ça – comment dire – presque courageux. Mais un pli méprisant au coin de la lèvre de la patronne le dissuada de formuler cette dernière observation et il se contenta plutôt de cette remarque :

«Un de ces jours, on devrait faire un barbecue.

— Par ce temps ?»

Tout en mâchant, ils fixaient l'écran où ils virent la même cabane sur le point de s'effondrer que la veille au soir, accompagnée à présent de la mention «IMAGES D'ARCHIVES». La patronne frissonna et glissa sa main dans celle du patron, qui resta ouverte, comme un piège sans ressorts. Elle posa sa fourchette et, de sa main libre, replia un à un les doigts de son mari.

Il examina de nouveau le toit de fer dont la chute au ralenti était interminable. Il reprit sa fourchette de la main gauche et s'exclama : «C'est délicieux. Digne d'un roi. Que dis-je, d'un roi – d'un empereur.»

Nieuwenhuizen prit une côtelette posée sur une barquette de polystyrène, l'embrocha au bout d'une pique de barbelés, la porta à ses narines et la renifla. Bonne à souhait. Il la déposa sur le gril. Il aspergea la côtelette avec le sang resté sur la plaque et pencha son visage affamé au-dessus de la fumée. Puis il s'assit en soupirant sur l'un de ses sièges de pierre.

Il regarda les fenêtres de la maison derrière le mur et essaya d'imaginer ce que faisaient les occupants. Il vit Mme Malgas devant un buffet en bois, qui allumait une bougie dans un bougeoir en inox. Il vit son mari, en pantoufles et robe de chambre, un verre à la main, une pipe à la bouche, éteindre la lumière d'un couloir. Elle s'affairait autour de la mèche. Lui quitta l'embrasure de la porte pour la douce étreinte lumineuse de la bougie. Il fit deux pas vers sa femme et s'arrêta. Elle regarda par-dessus son épaule et sourit. Lui posa une main sur le dossier d'une chaise et leva l'autre vers les cheveux de son épouse. Il s'arrêta. Il n'irait pas plus loin. Nieuwenhuizen planta la pique dans la côtelette et la retourna. Il regarda les fenêtres de la maison et essaya de nouveau.

M. Malgas quitta l'embrasure de la porte et fit deux pas vers sa femme. Le liquide rubis de son verre brillait. Elle regarda par-dessus son épaule gainée de taffetas écarlate, matelassée sur l'envers et cousue de paillettes sur l'endroit, approcha l'allumette de sa bouche et éteignit la flamme. Un nuage de fumée vint noyer ses yeux à lui. Il cligna rapidement des paupières, posa une main sur le dossier de la chaise et approcha l'autre des lèvres de sa femme, qui avaient gardé le doux arrondi de son souffle. La main resta suspendue en l'air, oh! Il n'irait pas plus loin.

Nieuwenhuizen embrocha la côtelette et la posa sur le rebord. Du pied, il souleva le gril pour l'ôter du feu. Il cracha sur ses doigts, saisit la viande, la débarrassa de son gras et scruta les braises.

Une citadelle ouvragée, qui renfermait de nombreuses chambres d'or, des couloirs et escaliers de cuivre, de laiton, d'argent, de plomb, de bronze, d'étain, d'aluminium et d'autres métaux trop nombreux pour être nommés, prenait forme au cœur du brasier, résistait, puis finissait par s'écrouler.

Des poches du patron sortirent une vis, une pièce d'un cent, un ticket de caisse du Buccaneer Steak House (1 × Sndwch., 1× Frit., 1× B. brune), une serviette tachée, un bulletin de versement graisseux de la United Building Society, un bouton de chemise, un morceau de ficelle et un cure-dents mâchonné. Mme Malgas fourra le pantalon dans la machine à laver, enfonça un bouton pour démarrer le cycle et emporta ses trouvailles au salon, où elle les disposa sur la table basse. Elle les examina à tour de rôle, comme si chacune d'elles avait une histoire à raconter.

Cet exercice lui donna envie de faire un brin de causette. Elle se dirigea vers la vitrine où elle gardait tous ses bibelots préférés et passa en revue ses colifichets. Perruche. Nautile de papier. Troll en plastique. Komboloï. Clochette.

C'est un presse-papiers de verre emprisonnant une plume de pintade qui finit par lui parler.

Nieuwenhuizen se sentait gagné par l'épuisement. Il dérivait comme l'écume des infatigables flots du veld et s'infiltrait par les portes grand ouvertes de ses yeux, le remplissant peu à peu jusqu'à ras bord. Sa tête gîtait, la fatigue se déversait et lui coulait sur les joues. M. Malgas s'avançait vers lui à travers la brume arc-en-ciel, fendait l'herbe de ses cuisses musclées, la main droite tendue telle une clé à molette, et lui disait: «Ravi de faire votre connaissance.»

«Il est resté assis là, toute la journée, comme un empoté, dit la patronne au patron lorsqu'il revint du travail. Il regardait la maison, comme si quelque chose clochait.

— Tu ne devrais pas le prendre pour toi, répondit-il. Sans doute est-il simplement fatigué de son voyage.

— Quel voyage? s'enquit-elle, soupçonneuse. D'où est-ce que tu sors ça?

— C'est juste une supposition.

— Ce n'est pas ton genre, de faire des suppositions.

— Il doit bien venir de quelque part. Il n'a pas poussé là, du jour au lendemain, comme un champignon.

— Ah, ah, très drôle. Ne t'inquiète pas pour moi. Je finirai bien par m'habituer à être prisonnière dans ma propre maison.

— Qu'est-ce qu'on peut y peut faire?

— "On" peut découvrir ce qu'il veut. Tu n'as qu'à aller lui demander.»

Il haussa les épaules.

«Il faudrait bien qu'il dise quelque chose, si tu lui posais la question. Il ne pourrait pas rester assis là, la bouche pleine de dents.»

M. Malgas s'arrêta sur le bas-côté, dans la pénombre, pour embrasser du regard le terrain. Une mélodie ténue, mêlée à l'odeur de la viande cuite, l'envahit. Il ne savait trop quoi faire, maintenant qu'il était là : pas de barrière où frapper, pas de sonnette à tirer. Au bout d'un moment, il lui vint une idée, une expression qu'il avait entendue dans un film sur le Far West, et il l'essaya : «Ohé du campement!»

Le chant s'interrompit. Nieuwenhuizen apparut au loin, nimbé de fumée, aussi grand qu'un arbre frappé par la foudre. M. Malgas eut envie de prendre ses jambes à son cou. Mais une branche tordue lui fit signe d'entrer et ce geste humain lui donna du courage. Il se lança dans la traversée du veld.

Debout sur le baril d'essence qui lui donnait de la hauteur, Nieuwenhuizen regardait son campement en contrebas. L'endroit était sale et sens dessus dessous. Il pensa qu'il pourrait y mettre un peu d'ordre, remuer les braises pour rendre l'atmosphère plus chaleureuse, et même ajouter une bûche, mais il n'en avait pas le temps. M. Malgas se rapprochait, se frayant bruyamment un chemin à travers les broussailles. Nieuwenhuizen leva la main et, à titre d'expérience, la referma sur l'air. Ferme mais amical.

Arrivé aux abords du campement, où l'herbe avait été piétinée, M. Malgas fut soulagé de constater que l'étranger devait en partie sa haute taille à la présence d'un objet sous ses pieds. Au moment où il entra dans le cercle de lumière pâle formé par la lampe, Nieuwenhuizen sauta à terre et s'avança, la main levée.

«Salut à vous, voisin! Je vous attendais.

— Malgas», répondit M. Malgas, qui serra une main calleuse et fixa le visage émacié avec une telle intensité que les traits en devinrent flous.

La main était légère comme une plume et lui piquait la paume.

«Père, dit l'étranger.

— Je vous demande pardon?

— Père. Ravi de faire votre connaissance.

Malgas, répéta lentement M. Malgas. Vous avez dit "Père"?

— Étrange, n'est-ce pas? C'est ce que tout le monde me dit.

— C'est la première fois que j'entends ça, avoua M. Malgas en regardant à la dérobée le foyer, où une marmite noircie reposait sur les braises. C'est assez improbable, si j'ose dire.

— Allez-y, ne vous gênez pas. J'ai l'habitude. Et croyez-moi, vous vous y habituerez aussi. On s'habitue à tout.»

Dans le silence qui suivit, Nieuwenhuizen détailla les Hush Puppies que Malgas avait aux pieds, les longues chaussettes hérissées de petites boules épineuses, les grosses cuisses poilues, et un embonpoint qu'il essayait de dissimuler sous l'élastique de son short, comme un melon volé. Pendant qu'il regardait Nieuwenhuizen le regarder, M. Malgas entendit la marmite lâcher un vent et sentit une odeur de poils roussis, de feuilles, de caoutchouc brûlé et d'encens.

«Vous êtes prêtre ?

— Non, Dieu merci !»

Le silence grésillait.

«Approchez une pierre, dit Nieuwenhuizen, soudain jovial. Soulagez vos pieds.»

Il tira son baril près du feu, s'assit, sourit de toutes ses dents à son visiteur et remua vigoureusement le contenu de la marmite à l'aide d'un bâton.

M. Malgas s'assit sur la pierre qui lui était offerte, les genoux relevés comme des fourmilières, les mains comme deux bêches pendant au milieu, et regarda les membres incroyables de Nieuwenhuizen en écoutant les bouillonnements et vagissements de la marmite.

Nieuwenhuizen ne disait rien, aussi M. Malgas s'éclaircit-il la gorge pour lancer, un peu trop fort :

«Je n'irai pas par quatre chemins. Pour quelle raison êtes-vous ici ?

— Je construis une nouvelle maison», répondit Nieuwenhuizen.

M. Malgas regarda par-dessus son épaule.

«En fait, je n'ai pas encore commencé, dit Nieuwenhuizen avec un rire saccadé. Je n'en suis qu'aux plans.

— Ah ! Vous êtes maçon, alors. Je suis moi-même dans la quincaillerie.»

M. Malgas regrettait de ne pas avoir de carte de visite à proposer, mais il n'avait pas pensé à emporter son portefeuille. Comme à l'accoutumée, sous son haut de survêtement, il portait un t-shirt aux couleurs du «Roi de la Quincaillerie», mais il était sans doute inconvenant de le montrer. Aussi préféra-t-il demander :

«Qu'est-ce qui vous amène par chez nous ?

— C'est une longue histoire. Vous avez mangé ?

— Non, mais je vous remercie.»

Nieuwenhuizen essuya méticuleusement son ustensile sur le bord de la marmite et le posa dans un coin ménagé à cet effet. À la vue des protubérances aux deux extrémités, M. Malgas comprit que ce qu'il avait d'abord pris pour un bâton était en réalité un os. Pendant qu'il observait furtivement l'objet afin d'en déterminer la provenance, Nieuwenhuizen saisit le goulot brisé d'une bouteille et versa une partie du ragoût dans une boîte de conserve, retira une fourchette en plastique de sa chaussure et commença à manger.

«D'où venez-vous? demanda M. Malgas, qui sortait de sa rêverie.

— Disons, pour simplifier, que j'ai quitté ma maison, loin d'ici, et que je suis venu dans la région pour repartir de zéro. Il faut lui rendre justice, c'était une vieille baraque confortable qui disposait d'une salle de bains et d'un cabinet de toilette, mais elle avait fait son temps. À vrai dire, elle tombait en ruine. Rongée par les vers et noyée dans les détritus. Pour vous donner une idée, le canapé perdait sa bourre, les tuyaux fuyaient, les planches sous la baignoire avaient pourri. Plongé dans l'eau chaude jusqu'au cou, je me voyais passer au travers du plancher, avec la baignoire et tout le tremblement. Autour, la terre était plutôt moisie et molle, un peu comme du fromage. C'est sûr, je me serais enfoncé – mon pire cauchemar – je serais tombé, tombé jusqu'au centre de la planète qui, je crois, est en fusion. Pfuiiiit! Évaporé, comme un crachat dans une poêle à frire. Vous imaginez?»

M. Malgas examinait les semelles de Nieuwenhuizen, tournées vers la source de chaleur. Un mystérieux motif de croix et de flèches était gravé sur le caoutchouc. Il regarda aussi la tête disproportionnée de son hôte, qui ne cessait de dodeliner comme si elle cherchait à garder son équilibre sur la tige du cou; les proportions de cette tête ne le rassuraient plus du tout.

«Je vous demande pardon?

— Vous êtes sûr que vous ne voulez pas manger un morceau?» répéta Nieuwenhuizen, qui désigna la marmite tout en se léchant les babines.

Il observait d'un air satisfait l'expression de curiosité qu'il lisait sur le visage de son invité.

«Il va falloir que j'y aille.

— Mais vous venez à peine d'arriver.»

Nieuwenhuizen souleva un amas vert tendre piqué au bout de sa fourchette et souffla dessus. Il posa alors les yeux sur le visage de Malgas et remarqua que les joues couleur mastic avaient maintenant pris une curieuse teinte rose, puis il laissa son attention vagabonder, dépasser les épaules carrées de son invité et s'arrêter sur le mur, son inquiétante combinaison de roues de chariot et de soleils.

«Puisque je vous tiens, vous pourriez peut-être éclairer ma lanterne. Votre mur, là, avec les soleils: ils se lèvent ou ils se couchent?»

M. Malgas se leva très lentement, comme si son ventre pesait trop lourd, et regarda par-delà la savane désolée. La lumière qui s'échappait de la fenêtre du salon rougeoyait, rassurante, entre les rayons des roues et ceux des soleils. Il avait beau regarder intensément, les soleils ne bougeaient pas – en revanche, il remarqua qu'on tirait les rideaux. Il se souvenait, à présent, de la construction du mur. La patronne avait dit: «Des roues et des soleils sur un même mur? Qu'est-ce les gens vont penser?» Il lui avait alors fait une leçon sur les articles de fin de série, le principe des ensembles dépareillés et les ristournes qui ne se représentaient jamais. Ça, c'était facile. Mais levant ou couchant? Qui aurait pu prévoir une pareille colle? Il se rassit. Nieuwenhuizen avait les yeux qui brillaient.

«Il faut vraiment que j'y aille. La patronne doit commencer à se demander ce que je fabrique.»

Nieuwenhuizen haussa les épaules, l'air résigné, et dit: «Il faudra repasser me voir avec la patronne. Vraiment, j'ai beaucoup apprécié cette petite discussion avec vous. C'était une façon très agréable de passer le temps.»

M. Malgas remit sa pierre en place. Il se sentit obligé de proposer:

«Si vous avez besoin de quoi que ce soit – briques, ciment, planches, que sais-je, vous n'avez qu'à crier. Le Roi de la Quincaillerie, Helpmekaar Centre. Je suis dans les Pages Jaunes.

— C'est très gentil à vous. Je vous remercie. Bonne nuit alors, Malgas.

— Bonne nuit... Père.»

M. Malgas s'éloigna d'un air décidé. Il pensait: «Ça me fait drôle de l'appeler "Père", il est à peine plus âgé que moi.»

Le Roi de la Quincaillerie, pensait Nieuwenhuizen tandis que Malgas disparaissait. Ça alors!

À travers une fente entre les rideaux, Mme Malgas observait son mari qui se dirigeait vers le campement sur la pointe des pieds comme s'il avait peur de faire du bruit et, le dos courbé, entrait dans la lumière. Il s'assit d'un air gauche sur une pierre, comme un enfant qu'on vient de gronder. Elle était gênée qu'il se comporte ainsi: elle rougit, bien qu'elle fût seule, et se détourna.

Vite, par ordre d'apparition: Décapsuleur. Dissolvant. Durillon. Diable. Découpage. Doryphore. Diverticule.

L'incantation échoua: elle ne parvenait pas à garder

ses distances. Elle regagna la fenêtre, juste à temps pour voir le patron émerger de la lumière, le dos toujours courbé, et refaire le chemin inverse, à tâtons, de la même manière qu'il était venu, ou plutôt, qu'il était *parti*, en regardant d'un air craintif autour de lui comme s'il avait peur du noir.

Par ordre alphabétique à présent, lentement : Décapsuleur. Découpage. Doryphore. Hum.

«Si tu veux mon avis, dit le patron, il est dans l'immobilier. Promotion, rénovations, remise en état, revalorisation de patrimoine, ce genre de choses.

— Oui, je veux bien ton avis, répondit la patronne, condescendante, en levant un sourcil défraîchi qui prit la forme d'un point d'interrogation.

— C'est un touche-à-tout, à la retraite maintenant, qui vit d'indemnités. Remarque, il n'a pas été aussi loquace. Je me contente de tirer des conclusions, alors s'il te plaît, ne me fais pas dire ce que je n'ai pas dit.

— Tout ça, ça ne répond pas à ma question. Qu'est-ce qu'il veut?

— Il ne *veut* rien. Il construit une maison.

— Une maison?

— Oui, une nouvelle. Sans doute à étage.

— À étage? Notre intimité va en prendre un sacré coup!

— On s'en fiche de ça. À notre époque, c'est la sécurité qui prime. On ne peut pas se permettre d'avoir un terrain vague à côté de chez nous. Pose la question à n'importe qui. Ça attire la mauvaise graine.

— Je les vois d'ici, les travaux de construction : nuisances sonores, groupes électrogènes, compresseurs, marteaux-piqueurs, bétonnières qui tournent de jour comme de nuit, et puis des inconnus – des ouvriers. De la poussière sur tous mes bibelots. Un vrai cauchemar. Je vais me plaindre.

— Mais le jeu en vaut vraiment la chandelle. Il va construire une maison ici et, à mon avis, ce sera splendide. Il va donner du cachet au quartier, sans compter le prix du mètre carré. Peut-être même que nous pourrions conclure une affaire ou deux.

— Ne compte pas sur moi. Tu feras des affaires avec lui tout seul.»

La patronne monta le son. Les températures minimales et maximales annoncées par la météo pour le lendemain défilaient solennellement sur fond de violons et de feuilles d'automne. Elle respira bruyamment entre ses dents, mit son gilet sur ses épaules et baissa le son à nouveau.

«Je n'aurais jamais dû murer la cheminée, dit le patron. Ce serait agréable de pouvoir s'asseoir autour du foyer, les pieds sur le garde-feu.

— Où est-ce qu'on mettrait la télé, alors?»

Tous deux regardèrent le poste, posé sur une table roulante sur l'ancienne dalle foyère. Un homme leur parlait silencieusement, comme l'attestaient les mouvements de sa moustache. Puis les indicateurs économiques apparurent sur fond de billets de banque et de trompettes (qu'ils n'entendaient pas).

«Et alors, qu'est-ce qu'il faisait? J'imagine qu'il ne regardait pas la télévision comme tout être humain normalement constitué.

— Il se préparait à dîner, figure-toi, dans une marmite à deux pieds.

— Pardon?

— Dans ces marmites à pieds, tu vois bien ce que je veux dire.

— J'ai bien entendu. Tu sais aussi bien que moi que ces marmites ont trois pieds.

— Je sais bien, dit le patron, troublé. Mais je te jure que celle-là, on aurait dit qu'elle n'en avait que *deux*.

— Tu as perdu la tête ou quoi ?

— Le troisième était sûrement caché.

— Évidemment qu'il l'était. Comment est-ce qu'une marmite pourrait tenir sur deux pieds ?

— C'est juste.

— Et alors, qu'est-ce qu'il y avait, dans cette marmite ?

— Aucune idée. Il m'a proposé de partager son repas, il a vraiment le sens de l'hospitalité mais, comme le dîner m'attendait à la maison, j'ai décliné l'offre, tu penses bien.

— Je me couperais un bras pour savoir ce qu'il y avait dans cette marmite…

— Une sorte de ragoût. Et là, dehors, à la belle étoile, ça n'avait pas l'air de sentir mauvais. Le plein air, ça m'ouvre toujours l'appétit.

— Sans doute un pauvre animal domestique.»

Ils regardèrent une publicité pour une assurance-vie qu'ils connaissaient par cœur, même sans le son. Il était question d'y affronter la mort.

«Ça ne vaut pas la peine d'en parler, ce n'est pas très important, mais il m'a posé une drôle de question, avec l'air le plus sérieux du monde. Tu sais, le mur ? Les roues de chariot ?» (Mme Malgas se préparait à triompher mais son mari y coupa court.) «Non, pas elles. Les soleils… Il voulait savoir s'ils se levaient ou s'ils se couchaient.

— C'est le pompon. N'importe quel crétin est capable de voir qu'ils se couchent.»

Nieuwenhuizen vida les restes de son ragoût dans une gourde dont il ferma le goulot hermétiquement au moyen d'un bouchon de papier sulfurisé préalablement mâché, puis il glissa celle-ci dans une nacelle bricolée à partir d'un cintre de fer et pendit le tout à une branche hors d'atteinte des charognards nocturnes et de leurs griffes. Il gratta le dépôt brûlé à l'intérieur de la marmite et l'éparpilla sur les braises, où il produisit un gros nuage de fumée âcre, puis il remplit le récipient d'eau et le laissa tremper. Ensuite, il sortit de sa valise une cartouchière de cuir ainsi qu'une boîte de dégras et se mit à l'ouvrage.

*

«La patronne!…Viens voir une minute!
— *Ja.*»

Il fallait tailler, tordre, marteler, et bien entendu, somnoler. Quand il ne vaquait pas tranquillement à ses affaires sur son terrain dont il découvrait la topographie, Nieuwenhuizen restait assis sous son arbre, les mains toujours occupées, et piquait du nez.

Mme Malgas observait ses moindres faits et gestes, d'abord en tapinois, puis plus ouvertement lorsqu'il devint évident que sa présence n'avait aucun effet sur l'étranger. Elle prit l'habitude de se percher sur un tabouret derrière les voilages du salon, tricotant, feuilletant un magazine, retournant sans cesse dans sa tête les motivations de l'homme comme s'il s'agissait de cartes à jouer. Elle ne l'aimait pas. Pour être plus précis, elle n'aimait pas sa façon de secouer la tête, de remonter son pantalon avec ses pouces et de les rentrer ensuite dans ses poches en laissant ressortir les autres doigts, comme s'il craignait de salir le tissu. Elle n'aimait pas sa démarche désinvolte, ses somnolences, ses regards dans le vague. Plus généralement, elle n'aimait pas l'idée qu'il ait pu venir ici sans autre but que de la tourmenter et de tout bouleverser. Elle n'aimait pas penser à lui tout court.

Aussi essaya-t-elle de se distraire en faisant l'inventaire de ses bibelots : cendrier de cuivre, insignes de Weltevreden (un gnou rampant). Panier d'osier, panier percé. Figurines (un cordonnier, un bohémien, une ballerine, un plombier, un horloger, un Schtroumpf). Presse-papiers, plume de pintade. Presse-papiers, rose. Presse-papiers, chalets de vacances à Merry Pebbles. Pelle à tarte, porcelaine, poterie commémorant le centenaire du couronnement, coucou, coupelle. Qu'importe. Spatule. Juste au moment où les choses commençaient à devenir intéressantes. Tasse. Jour après jour. Poupée. Nuit après jour. Chiot. Aussi vrai que le jour vient après la nuit, elle se trouva de nouveau attirée à la fenêtre.

Par leur absence de but, les errances de Nieuwenhuizen à travers le veld ennuyaient Mme Malgas autant qu'elles la rassuraient. Elles faisaient de lui un homme indécis, inefficace, vagabond. Mais lorsqu'il s'installait sous l'arbre et, à coups de marteau, transformait des canettes de bière en assiettes à soupe, tripatouillait tessons de poterie et parcelles de polystyrène, tressait des rubans de plastique pour en faire de la corde, sculptait, taillait et tordait, trouait et attachait, il semblait s'entraîner pour quelque entreprise plus ambitieuse, et on pouvait dès lors envisager qu'il allait construire pour de bon une maison à côté de chez eux, une maison de style moderne, une maison jetable avec trois chambres, entièrement faite de matériaux recyclés, qui tiendrait debout grâce aux chevilles de son entreprise bancale et qu'il occuperait de façon permanente – cette perspective la déprimait au plus haut point.

«Il faut être réalistes, dit la patronne au patron un vendredi soir où la conversation s'était inévitablement portée sur Nieuwenhuizen. Nous devons nous comporter en adultes responsables et arrêter de ne penser qu'à nous. Il est dangereux. Demande-toi : où est-ce qu'il va? Est-ce qu'il creuse un trou et va s'accroupir au-dessus comme un chien?

— Comme un chat, rectifia M. Malgas, irrité.

— C'est l'idée qui compte. Où est-ce qu'il se procure son eau? Il a un baril là-bas, pour se laver, faire la cuisine, et tout ce qui est nécessaire à l'entretien d'une maison. Il vient sans doute la siphonner dans notre piscine, en pleine nuit, profitant du sommeil des gens normaux.

— On pourrait lui proposer de lui fournir un peu d'eau. On en a des litres et des litres. Ça ne serait pas difficile d'installer un tuyau jusqu'à chez lui.

— Qu'est-ce qu'il mange? Qu'est-ce qu'il peut bien faire cuire dans sa marmite à deux pieds? Des moutons à cinq pattes? Des pigeons? Des cacatoès et des perruches?

— Voilà une autre chose qu'on pourrait faire, entre voisins, s'il ne te déplaisait pas autant : lui offrir un vrai repas de temps à autre.

— D'où est-ce qu'il sort son argent? Parce qu'il en a forcément?

— Soupir!

— Combien de fois faudra-t-il te répéter de ne pas dire ça? Tu sais bien que ça m'agace au-delà du possible.

— Ce n'est qu'une expression.

— Tu ne peux pas te contenter de soupirer, comme tout le monde? Qu'est-ce que tu en penserais, si je disais "Rire" à tout bout de champ, au lieu de le faire vraiment?»

Voilà à quoi pensait M. Malgas en se glissant dans le jardin. C'était tout juste la veille au soir qu'il avait aperçu par hasard le tableau pittoresque du campement de Nieuwenhuizen encadré par deux rayons de roue de chariot, et il était impatient d'en profiter à nouveau; avec un peu de chance, il attraperait peut-être au vol quelque parfum revigorant ou deux-trois notes égrenées. Une brise de bienvenue souleva une cascade d'applaudissements dans les arbustes. Il sentit une odeur de chlore, de créosote et de menthe. L'aspirateur de la piscine était silencieux et dormait sous le plongeoir, dans les profondeurs, mais le bruit de l'eau répondait au claquement de ses sandales contre la plante de ses pieds alors qu'il contournait la maison par un chemin dont il avait lui-même posé le revêtement en Slasto.

Écraser dans la passoire, bla-bla-bla. Remettre la pulpe à chauffer, porter à ébullition et laisser mijoter pendant trente minutes. Assaisonner.

Mme Malgas versa dans sa main un mélange d'herbes qu'elle jeta dans la casserole. Une pincée de sel et de poivre, une larme de Tabasco, le jus d'un citron pressé. Elle remua, puis goûta. Fade. Pour corser la préparation, elle rajouta une poignée de clous de girofle, aussi piquants que des semences de tapissier.

Au fil des jours, M. Malgas avait acquis une conviction dont sa femme avait parfaitement conscience, bien qu'il n'ait pas choisi de lui en faire part: le sentiment qu'il était lié d'une manière importante à Nieuwenhuizen, «Père» comme il l'appelait, non sans difficulté, en son for intérieur. Ils ne s'étaient pas parlé depuis leur dernière rencontre, que M. Malgas ne cessait de revivre en esprit, mais quand il partait travailler le matin et revenait chez lui le soir, il donnait quelques joyeux coups de klaxon et Nieuwenhuizen surgissait toujours en divers points du terrain pour y répondre par un signe de la main. Malgas voyait en l'échange de ces gestes simples une forme de coopération avec son nouveau voisin, qui présageait une relation plus significative; celle-ci se présentait comme une série de mots commençant par «c» dont chacun marquait un palier sur l'échelle de l'intimité: collaboration, coexistence, complicité.

Pourtant, la distance qui les séparait aujourd'hui et que la familiarité finirait par combler semblait nécessaire, voire désirable. Dissimulé derrière son mur ambigu en cette soirée très ordinaire, les narines chatouillées par la brise porteuse de l'odeur boisée des grands espaces, M. Malgas sentit un frisson d'excitation étouffée, de ceux qu'il n'avait plus ressentis depuis son enfance et ses jeux de cache-cache.

La tête de Nieuwenhuizen vacilla, comme si le regard avide de Malgas l'avait secouée, et sembla sur le point de pivoter en direction de ce dernier.

Mais un bol de lumière cuivrée s'abattit soudain sur le patron tandis qu'il était agenouillé dans l'ombre du mur. Sa femme avait ouvert les rideaux d'un seul coup, comme deux feuilles de métal, et se tenait dans le châssis tape-à-l'œil de la fenêtre, brandissant une cuillère et le toisant du regard.

«Tu nous ridiculises, dit-elle, tandis qu'il époussetait ses genoux pleins de sable sur le pas de la porte de derrière. Il débarque de nulle part, et toi, tu l'accueilles à bras ouverts. Tu devrais avoir honte de toi. On ne sait rien de lui. Il n'a pas d'histoire. Tu m'écoutes, oui? On ne connaît même pas son nom.

— Si, ça, on le sait», dit le patron, qui passa derrière elle pour aller s'affaler sur une chaise, dans la cuisine. Il regardait les pantoufles mitées de sa femme qui s'agitaient avec impatience. «Il me l'a dit lorsque j'y suis allé, la semaine dernière. Pourquoi tu ne sers pas? Ça va refroidir.

— Tu ne m'as rien dit.

— J'allais le faire.

— Et alors?

— Il s'appelle "Père".»

«Père?»

Une chose en amène une autre. La main gauche serrée entre ses genoux, Nieuwenhuizen, qui se roulait par terre en se maudissant et en poussant des cris de douleur, finit sa course dans les vestiges du foyer. Il venait de laisser tomber son marteau sur l'ongle de son pouce. Cette douleur supportable, il l'avait maintenant oubliée et se secouait pour se débarrasser des braises collées à lui. Ses cheveux qui lui crépitaient sur la tête commencèrent à voir poindre des flammes et ne tardèrent pas à fleurir, mais il écrasa les pétales à l'aide d'une peau de chamois graisseuse. La crise passée, il reprit une fois encore son calme devant sa tente, suçant son pouce et serrant contre lui son coude couvert de cloques; c'est alors qu'à travers ses larmes, dont la douleur plus que la honte était responsable, il aperçut Malgas à l'horizon.

Cette fois-ci, M. Malgas trouva l'arrivée au campement plus accueillante: un poteau de palissade chancelant qui exhalait une odeur de créosote fraîche, surmonté d'un soulier de ciment éraflé, pourvu d'une petite ouverture, de deux fenêtres à guillotine et d'une fente à son extrémité, marquait l'entrée d'un chemin qui courait à travers le veld, ce dont il fut reconnaissant. Plusieurs tournants, imposés par la topographie, le menèrent à une fourmilière où il s'arrêta et profita de la vue. Puis il reprit sa route, ne sachant trop s'il devait annoncer son arrivée.

Nieuwenhuizen vit Malgas descendre le chemin, écarter à deux mains les toiles d'araignée, tailler les lianes à coups de *panga* rouillée, et en fait, c'est lui qui se manifesta par un accueillant «Malgas!».

L'étranger était assis à l'entrée de sa tente, sur la pile désordonnée de ses grandes jambes, occupé à quelque travail manuel caché sur ses genoux.

«Bonjour, Père!»

Malgas fut satisfait du naturel qu'il mit dans cette apostrophe. Si Nieuwenhuizen en fut également heureux, il ne le montra pas et se contenta de brandir une paire de tenailles en direction d'une pierre avant de se remettre à l'ouvrage.

«Ça avance bien, dit Malgas, admiratif, en tournant sur lui-même. Je peux jeter un œil?»

Prenant un haussement d'épaules pour une autorisation, M. Malgas parcourut le campement, ses environs, et laissa les sentiers rudimentaires qui avaient fini par apparaître guider ses pas. Il trouvait un plaisir enfantin à découvrir de toutes parts que le terrain était habité et que le nouvel arrivant faisait comme chez lui. «Une demeure sculptée à même le veld», pensait joyeusement Malgas tandis qu'il examinait le sol nu et tassé autour du foyer. Une odeur réconfortante qui s'élevait de la terre lui indiqua qu'on avait arrosé le sol afin de fixer la poussière.

«Où est-ce que j'ai bien pu fourrer mon marteau?» se demandait Nieuwenhuizen.

Malgas se mit obligeamment en quête de l'objet au pied de l'arbre mais, à la place, il découvrit un tas de bois de chauffage et de poteaux, la matière première, pensa-t-il, des fortifications qui restaient à édifier; à côté, une grande valise de cuir – bien solide, mais qui avait fait son temps, une imitation sans doute, recouverte d'étiquettes, toutes illisibles, et d'autocollants (destinations exotiques: Bordeaux, Floride, Eldorado Park) – laissait échapper un flot de vêtements; il y avait aussi un baril de métal d'où dégouttait une eau verte, et une louche en fer-blanc dont le cuilleron portait le nom d'une grande marque de soda. Sans réfléchir, il remplit d'eau la louche et se la versa sur la tête, et même si l'air était mordant, même s'il avait dû s'interdire de se lécher les babines et de rejeter ses cheveux en arrière – deux manifestations de plaisir qu'il associait au geste – il se sentit néanmoins tout revigoré.

«Le voilà! s'écria Nieuwenhuizen. J'étais tout simplement assis dessus.»

En faisant le tour de l'arbre et de la tente, Malgas nota d'un œil approbateur la profondeur prudemment calculée de la rigole et testa la bonne tension des cordes. Quelques objets volumineux enveloppés dans des sacs plastique pendaient aux branches les plus basses. Malgas, qui se targuait d'être un spécialiste des emballages et de leur relation aux contenus, ne put résister au défi. Non sans avoir jeté un regard interrogateur vers la nuque grisonnante de Nieuwenhuizen, il palpa minutieusement l'un des sacs, mais, à sa grande surprise, fut incapable de déterminer ce qu'il renfermait. Qu'importe, il poursuivit son chemin. Derrière la tente, il trouva quelques outils plus immédiatement identifiables : rangée de cuillères en bois dégrossi pendues le long d'un morceau de ficelle (aucune trace de l'os à mélanger), pile d'assiettes et de soucoupes difformes, pot de créosote et son pinceau posé en travers, dalle d'ardoise ternie sur laquelle reposait un foie gris. D'un index audacieux, il appuya doucement sur cet organe lugubre et le trouva ferme au toucher. Mais une cache, sous la haie, recelait d'autres gadgets dont il ne put deviner la fonction, malgré ses nombreuses années d'expérience dans la quincaillerie.

«Vous avez là des choses fascinantes! s'écria Malgas. À quoi elle sert, celle-là?» demanda-t-il en désignant un objet non identifié, un signal de circulation d'un bel orange lumineux monté à l'envers dans une boîte en carton et entouré de fil de cuivre.

Nieuwenhuizen tourna la tête. Il regarda l'expression avide sur le visage de Malgas ainsi que les doigts épais qui agrippaient l'invention.

«C'est un pluviomètre de brousse, répondit-il tristement. Gradué, pour mesurer le niveau de la pluie. Le klaxon marche aussi.

— Fort utile… et celui-là?

— Un piège à souris. Pour les mulots.

— Celui-là?

— Un emporte-pièce.»

Nieuwenhuizen trouvait ces questions lassantes.

«Et là, qu'est-ce que vous bricolez?» demanda Malgas, même si le ton de voix de son interlocuteur ne lui avait pas échappé. Tout en parlant, il fit rouler une pierre pour s'y asseoir. À sa grande déception, il découvrit que le torse de Nieuwenhuizen lui cachait l'intérieur de la tente.

«C'est une tasse, répondit l'étranger en désignant une boîte de conserve bosselée qu'il fit pivoter pour la faire admirer à Malgas. Elle est presque finie, il ne reste plus qu'à arrondir l'anse, ici.» Il s'anima tout d'un coup, étendant brusquement une jambe comme un signal de chemin de fer. «Prenons le thé, vous aurez l'honneur de l'étrenner.»

Dans le foyer, les braises étaient tièdes. Sous le regard attentif de Nieuwenhuizen, Malgas alla chercher du petit bois sur le tas, prépara un feu, versa quelques louches d'eau dans la marmite dont il remarqua à son grand soulagement qu'elle avait bien trois pieds et, conformément aux directives de son hôte, préleva d'un sac plastique la quantité adéquate de feuilles séchées.

«Qu'est-ce que c'est? demanda-t-il en éparpillant les feuilles dans l'eau bouillante.

— Une infusion herbacée, répondit Nieuwenhuizen. De la tisane, désolé pour le jargon. C'est très bon pour la santé. Ça purifie le sang et ça fortifie.»

Lorsque la tisane eut assez infusé au goût de Nieuwenhuizen, Malgas fut chargé de la passer dans un filtre à huile fatigué et de l'adoucir en y ajoutant du miel pris dans un pot.

Malgas fit remarquer que la nouvelle tasse remplissait convenablement son office − certes, elle ne fuyait pas − mais le bord en dents de scie lui coupait la lèvre, et l'anse était trop petite pour son index.

«J'ai bien peur qu'elle ne soit prévue pour un doigt moins important, expliqua Nieuwenhuizen avec un gloussement bon enfant, en levant son propre index maigrelet pour illustrer son propos. Oh là là!»

Malgré le miel, la tisane avait un goût d'huile et de rouille.

«C'est ainsi que je conçois la vie», dit Malgas lorsqu'ils furent tous deux bien calés sur leurs pierres, leurs tasses posées sur le ventre, les jambes étendues pour profiter du soleil de l'après-midi.

Un silence limoneux s'abattit sur eux. Malgas en savourait les éléments significatifs: le couinement caoutchouteux des bottes de son hôte sur une pierre éclaboussée de graisse; le sifflement du bois dans le foyer; les insectes filant dans l'herbe; le crépitement des feuilles sèches dans la haie; les hoquets de sa tasse dont les soudures se dilataient; la rumeur lointaine de la circulation.

À travers ses paupières mi-closes, Nieuwenhuizen suivait les contours les plus marquants du visage de Malgas, d'une oreille à l'autre et de la houppe au menton.

Lorsqu'ils eurent vidé leurs tasses, Malgas poussa un soupir de contentement et dit:

«Alors, quand est-ce que commencent les travaux?

— Patience, patience, murmura Nieuwenhuizen d'une voix ensommeillée, en plissant les yeux pour faire disparaître Malgas. J'ai toute la vie devant moi.» Le silence haletant qui suivit souligna la nécessité de plus amples explications. «On ne peut pas précipiter la construction d'une nouvelle maison. Il faut d'abord que tout soit parfaitement clair dans la tête.» Deuxième silence. «Croyez-moi. Je m'acclimate, je prends des forces pour la première phase, à savoir le défrichement du *bushveld* vierge.

— Qu'est-ce que vous consommez, pour prendre des forces, j'entends?

— Oh, des oiseaux, des racines, ce genre de choses. Des baies. Je tire ma pitance de la terre. Évidemment, j'achète les aliments de base au café du coin, ainsi que les petites friandises occasionnelles, histoire de garder le moral. Je suis particulièrement friand des sablés au chocolat.»

L'air s'épaissit. Nieuwenhuizen gardait les yeux fermés. Les minutes devinrent des heures, s'égrenèrent lentement et Malgas se retrouva à piquer du nez. Peut-être était-ce la tisane ? Ou bien la voix rauque de son hôte qui s'élevait puis retombait comme le vent à la cime des arbres ?

Ils discutèrent végétation comestible, s'égarèrent, moisissures, hydroponique, brocolis, jardins maraîchers, effleurèrent le troc (Nieuwenhuizen agita un tapis de bain en sacs plastiques tressés), s'égarèrent encore, butèrent sur la quincaillerie (Malgas dévoila son t-shirt, imprimé d'une silhouette en bleu de travail qui présentait une certaine ressemblance avec Malgas lui-même et qui tenait un grand clou pailleté dans une main, un marteau dans l'autre) : balai, balsa, biseau, tasseau, soupape, papier peint, palissade, s'assoupirent, refirent surface puis replongèrent dans les subtilités de l'écorchement d'un chat, firent un petit somme, passèrent au ralenti de la spéculation immobilière aux benncs à ordures des restaurants, sans oublier les déchets recyclés et les barrières de sécurité des maisons, en vinrent à parler de la pluie et du beau temps.

Enfin, le soleil fondit sur le toit rouge de la maison de Malgas, à qui elle était apparue, à travers ses cils, comme un lointain *koppie*[1] pendant un certain temps. Puis l'ombre allongée de son mur atteignit ses orteils et le souvenir désagréable de l'objet de sa visite lui revint soudain en mémoire.

«Découvre son véritable nom, avait annoncé Mme Malgas d'un ton amer, ou n'espère pas remettre les pieds ici.»

M. Malgas scruta le fond boueux de sa tasse et prépara une question.

---

[1] Petite colline, en afrikaans. (Toutes les notes sont de la traductrice.)

La maison, une fois privée de la présence accaparante du patron, semblait davantage remplie d'objets. Ils se multipliaient, prenaient de l'importance, leurs angles devenaient plus aigus, leurs surfaces plus réfléchissantes. La patronne évoluait au milieu, passait un doigt sur les bordures festonnées des vitrines, se penchait pour épousseter le plateau ciré des tables, attrapait entre deux doigts les moutons sur les épaules duveteuses des fauteuils. Elle se sentait seule. Ça faisait des heures que son mari était parti, et elle ne supportait plus de le voir affalé près du feu, les mains derrière la nuque, les pieds surélevés, comme s'il était dans l'intimité de sa propre maison.

Elle prit un soulier de porcelaine sur la tablette de la cheminée et le retourna dans ses mains. La chaussure était étroite et blanche, dotée d'une boucle dorée et d'un talon bobine. C'est comme si je l'avais toujours eue, se dit-elle, mais c'est impossible. Toujours. Pantoufle. Elle vient bien de quelque part, quand même? Un cadeau du patron? Pour une raison mystérieuse, ce bibelot lui rappela le jour où son mari avait muré la cheminée. Elle le revoyait, agenouillé devant le trou béant, une truelle chargée de ciment tout frais dans une main, une brique dans l'autre. Il avait les cheveux dressés sur la tête et les épaules saupoudrées de pellicules de plâtre et de copeaux de bois. Lorsqu'elle était entrée pour servir le thé, il l'avait regardée par-dessus son épaule floconneuse et lui avait adressé un sourire impassible, comme dans une publicité pour du matériel de bricolage.

Soudain, une odeur de viande embauma l'air. Mme Malgas se tourna vers la télévision, posée devant la cheminée. Une fourche hissait un pavé de viande rouge gros comme un paillasson et le jetait sur un gril. Un hymne familier, aux cordes grasses et aux cuivres dégoulinants, se mit à bouillir tandis que le pavé rebondissait du gril au ralenti, dans un grand éclaboussement de gras et de marinade. L'odeur de la viande, arrosée par le flot montant de la mélodie, était irrésistible. Mme Malgas ferma les yeux et chercha les flammes à tâtons, elle sentit l'écran brûlant sous ses paumes, puis un bouton poisseux, qu'elle pressa. Elle ravala sa nausée et porta à sa joue brûlante la semelle rafraîchissante de la chaussure de porcelaine.

Le poste grésillait toujours lorsque M. Malgas entra de son pas lourd et alluma la lumière. Les avions suspendus dans le salon, effrayés, s'entrechoquèrent puis retrouvèrent leur position habituelle.

Le patron s'assit sur son fauteuil La-Z-Boy, les bras ballants.

Sa femme regardait les ombres humides sur sa chemise. «Tu fais peine à voir, dit-elle.

— Qu'est-ce qui se passe, ici? s'enquit le patron en regardant l'écran éteint.

— Rien.»

Elle remit le soulier en place. Le poste de télévision était chaud contre son ventre. Elle lança:

«Alors?» Il se curait un ongle. «Ça y est, tu lui as demandé?

— Oui. Il semblerait que "Père" soit un surnom.»

Elle leva un sourcil.

«Et, drôle de coïncidence, son vrai nom est "Nieuwenhuizen[2]".»

D'un coup sec, les deux parties du nom se détachèrent en plein vol et les morceaux retombèrent comme des brindilles sur le tapis à poils longs. Le patron s'était

_____

[2] Littéralement, «Nieuwenhuizen» signifie «nouvelle maison» en afrikaans.

lancé à leur recherche sous prétexte de refaire ses lacets, quand l'ombre de la patronne plongea sur lui.

«C'est impossible, dit-elle. La coïncidence est trop belle.»

M. Malgas regarda les pantoufles de sa femme. La peau de mouton était de la même couleur que le tapis. Il vit les tibias luisants qui sortaient du bulbe des pieds comme deux jeunes arbres, et ses propres mains qui fouissaient au cœur des touffes de fibre, comme s'il essayait de la déraciner. Cette idée le mettait mal à l'aise. Il leva les yeux vers son visage. Ratatiné, il n'était plus qu'un petit fruit blafard. Dans la pulpe juteuse des yeux, les pupilles luisaient comme des pépins.

«Je vous demande un peu! s'exclama-t-elle en se raclant la gorge. Nieuwenhuizen, c'est un comble!» Sa langue maintenait avec précision les deux parties du nom ensemble, comme si elle attendait que la colle sèche. «Nieuwenhuizen! À coup sûr, un pseudonyme. Un nom de scène. Tu as demandé à voir ses papiers?

— C'est un nom très courant, dit-il, les yeux rivés sur la bouche de sa femme.

— Un criminel, fit la bouche. Je le savais. Un assassin.

— J'ai été à l'école avec un Nieuwenhuizen.

— Je t'en prie, dit la patronne en reproduisant une intonation qu'elle avait entendue dans les émissions de télé américaines, tandis que son mari quittait la pièce, ses lacets à la traîne comme des brides lâchées. Je t'en prie», répéta-t-elle alors qu'il revenait en chaussettes, l'annuaire à la main.

Il le lança ouvert sur la table basse et en tourna les pages à la hâte.

«Tiens: Nieuwenhuizen, C.J, résidant à Roosevelt

Park. Une sage-femme, apparemment. Nieuwenhuizen, D.L., Malvern East, juste en bas de la rue. Nieuwenhuizen, H.A., Pine Park. Un autre Nieuwenhuizen, H.A., Rndprkf. C'est où, ça?»

Elle connaissait la réponse, mais n'avait pas envie de la dire.

«Peu importe.» Son doigt traça un sillon jusqu'en bas de la page. «Il doit y en avoir au moins vingt, même trente si on compte les Nieuwhuises, les Nieuwhuyses et les Niehauses. On doit bien trouver un Newhouse, aussi.» Il tourna quelques pages. «Et là, qu'est-ce qu'on a? Rien. Mais il y a un Newburg, et une liste de Newman longue comme le bras.

— On habite peut-être à l'ouest, dit-elle en allant à la fenêtre, mais on ne s'appelle pas Van der Westhuizen.

— Mais c'est ce que j'essaie de te dire! D'accord, on ne s'appelle pas Van der Westhuizen, mais des milliers de gens s'appellent comme ça, je ne sais pas… cinq mille, au moins? Et la plupart se trouvent bel et bien à l'ouest de quelque chose. Tu vois?» Les épaules de la patronne s'affaissèrent et il poursuivit d'un ton triomphant: «Il doit bien y avoir des milliers de Nieuwenhuizen à travers le pays, et je te parie qu'à chaque instant il y en a une douzaine qui construisent de nouvelles maisons – ou qui du moins y pensent. C'est une question de chance. Non, c'est plus que ça. C'est la loi des grands nombres.

— C'est trop beau pour être vrai.»

M. Malgas alla se poster à côté de sa femme. Nieuwenhuizen avait ranimé le feu et en faisait le tour à pas lents, en traînant son ombre immense sur le paysage.

Après avoir regardé par la vitre pendant un certain temps, M. Malgas prit conscience du reflet de son propre visage. Puis il s'aperçut que c'était son corps tout entier

55

qui flottait là, dans l'espace froid de l'autre côté des barreaux de protection, ainsi que le visage de sa femme et le corps qui allait avec au-dessous, leur salon et son désordre familier, en dangereux porte-à-faux, et le feu de Nieuwenhuizen qui brûlait au milieu du tapis, à la place de la table basse. Tendrement, le patron passa le bras autour des épaules de la patronne, l'attira à lui et regarda dans l'autre pièce le pâle reflet imiter son geste.

«Tu ne devrais pas le détester, dit-il, il n'y a aucune raison d'avoir peur de lui. Même s'il s'avère qu'il n'est pas celui qu'il prétend être – je ne dis pas que cela arrivera – il ne nous veut aucun mal. Regarde-le, dehors, dans le froid, alors qu'on est bien au chaud dans notre chez-nous. Il me fait presque pitié – même si ça n'a pas lieu d'être, comme il serait prompt à me le faire remarquer. Il est vraiment ingénieux. Il possède un service à thé fait à partir de boîtes de conserve, et tout à l'avenant.»

Elle haussa les épaules sous le bras pesant de son mari.

«Tout ça n'apportera que des ennuis... et des insectes», chuchota-t-elle. Après un silence, durant lequel le patron prêta l'oreille au mutisme de la maison sans pouvoir y déceler le moindre signe de vie, elle reprit d'une voix ferme: «Vas-y, sois son ami. De toute façon, je sais que tu n'en feras qu'à ta tête. Mais il ne faudra pas venir pleurnicher quand il te laissera tomber. Et ne compte pas sur moi pour l'appeler "Nieuwenhuizen". C'est encore pire que "Père". Si je dois parler de lui, je dirai "l'Autre", et tu sauras pourquoi.»

Qu'est-ce qui cloche, chez ce Malgas? se demandait Nieuwenhuizen. Il a l'air impatient de rendre service.

Mais il a toujours une question à la bouche, et il est vraiment difficile à convaincre. Nieuwenhuizen! s'était-il exclamé. Vraiment? Vous êtes sérieux? Bon sang! Plus Nieuwenhuizen mettait d'ardeur à revendiquer ce nom, plus il sentait qu'il s'en détachait. C'était une expérience pénible, de voir son propre nom s'envoler ainsi. Mais on s'habitue à presque tout.

Par un cheminement détourné de la pensée qui l'amena à faire encore et encore le tour du feu au point de sentir sa tête tourner, Nieuwenhuizen reprit possession de son nom et décida qu'il fallait laisser Malgas dans le doute.

Le pied gauche de la patronne, délicatement cambré et aux orteils tournés en dedans, émergea de la baignoire, tout dégoulinant d'eau savonneuse, et se posa sur le sol où il rencontra un objet froid et visqueux. Un tapis de bains en sacs plastique. Elle sut immédiatement quel était le créateur de cette invention hideuse.

Même si elle répugnait à toucher cette chose, elle voulait en savoir plus sur elle, comme si celle-ci était susceptible de lui apporter des informations importantes sur l'Autre.

Avec la brosse à dents du patron, elle souleva le tapis. Il était tissé, enfin, on ne pouvait pas vraiment dire tissé. Il était tricoté, fait d'une suite de sacs plastique noués. Elle identifia trois grandes chaînes de supermarchés, grâce à la prédominance de certaines couleurs et aux fragments de caractères. Checkers. Pick'n'Pay. Elle crut voir un emballage du Roi de la Quincaillerie, perdu dans la masse, des caractères couleur sable sur fond de terre, mais elle n'était sûre de rien. Les mots étaient gauchis par le maillage de l'objet et ne pouvaient être démêlés.

Elle laissa tomber le tapis dans la poubelle sous le lavabo et, drapée dans une serviette, s'assit sur les toilettes, tâchant de comprendre comment son mari avait bien pu introduire cette chose à son insu dans «sa» maison à elle. Il devenait de jour en jour plus sournois.

Le lendemain matin, Nieuwenhuizen salua son voisin au moment où ce dernier sortait acheter son journal du dimanche et se précipita à sa rencontre sur le bas-côté.

«La phase Un nous appelle, Malgas, dit-il avec ferveur. Hier soir, après notre petit entretien, j'ai pensé, comme ça, à l'avenir. Je me suis demandé si c'était le bon moment. Et la réponse ne s'est pas fait attendre, claire et distincte, révélée par un fourmillement dans la paume de mes mains et la plante de mes pieds : "Un peu que c'est le moment!"

— Le moment de faire quoi?

— J'y viens : de "défricher le terrain"!»

Les doigts levés, formant deux V, il dessina du bout des ongles des guillemets autour de l'expression.

«Puis-je vous emprunter une bêche?

— Avec plaisir!»

Malgas était ravi que le moment de passer à l'action soit enfin arrivé. Il était aussi secrètement touché que Nieuwenhuizen ait dit «*nous* appelle» plutôt que «*m*'appelle». Il alla chercher une bêche dans son garage et donna quelques instructions expertes sur son utilisation. Puis il partit en trombe au café, en promettant d'être de retour en moins de deux.

Nieuwenhuizen passa le doigt sur le fer. Il était émoussé. Il commença à l'aiguiser sur un pavé du trottoir. Bientôt, comme il entendait Malgas revenir, soufflant comme un bœuf, il battit bien vite en retraite à l'intérieur du terrain (carré IVF) et s'attela à la tâche.

Mais on ne se débarrassait pas de Malgas aussi facilement. Il passa la tête.

«Un coup de main, Père?

— Merci, mais ça ira, répondit Nieuwenhuizen sans lever les yeux. Je vous appellerai quand j'aurai besoin de vous. Rentrez chez vous et allez aux nouvelles.»

Malgas repartit tristement.

Nieuwenhuizen s'attaqua pour de bon à la végétation, coucha les tiges à coups de talon, coupa les racines à coups de bêche. En moins d'une minute, il se trouva noyé dans un nuage de poussière et de sève odorante qu'il avalait à traits secs et écumants. Le breuvage était enivrant.

M. Malgas assista d'abord au massacre depuis le salon, puis de la cuisine, et pour finir, à mesure que la poussière s'épaississait, depuis le mur qui bordait l'un des côtés de la maison. Il trouvait les méthodes de Nieuwenhuizen pour le moins étranges. L'homme maniait la bêche avec aplomb, bien qu'à contretemps, et il y mettait de l'ardeur, il fallait bien le reconnaître. Il y avait de la puissance dans ces bras grêles, car il était capable de trancher d'un seul coup un petit buisson à la racine, en ne laissant rien sinon une coupe transversale de la tige, comme une pastille de menthe recrachée dans la poussière.

Mais pour ce qui était de sa technique… qu'en dire? Elle était discutable. Il dépensait une énergie démesurée en effets purement décoratifs. Entre deux coups, il aimait entonner quelques mesures d'une marche et donner des coups de bêche à la ronde, dessinant dans l'air où volaient des particules en suspension quelques arabesques et fioritures éphémères. Il aimait également faire tournoyer l'outil comme un bâton de majorette, le faire tourner comme un parapluie et le jeter en l'air comme la canne d'un tambour-major. Dans un autre contexte, ces manières affectées auraient pu lui permettre de faire montre de dextérité mais, chose étrange, elles avaient ici l'effet inverse : l'engin, qui évoluait gracieusement dans les airs, acquérait une vie propre. Plutôt que de le guider, Nieuwenhuizen semblait le suivre, comme un danseur malhabile, en agitant les bras dans tous les sens.

«Le pire, avec toutes ces âneries, pensait M. Malgas, c'est qu'elles font perdre un temps précieux.»

On ne pouvait arrêter Nieuwenhuizen. Lorsqu'un pivot résistait à ses assauts, il sautait à pieds joints sur la bêche et se balançait d'avant en arrière, comme un jockey, afin d'enfoncer le fer dans le sol. Puis il pesait de tout son poids sur le manche et faisait jaillir du sol une motte de gazon aussi grosse que sa tête.

Jour après jour, case numérotée après case numérotée, le déboisement suivait son cours. Jamais Malgas n'était appelé. Mais il n'était pas du genre à faire des manières : tous les soirs, après le travail, il passait chez son voisin sans y avoir été invité, trouvant comme prétexte à sa visite quelque bricole chipée à la boutique. Le lundi, par exemple, ce fut une bêche flambant neuve, dotée d'une virole rouge sang assortie à la tente de Nieuwenhuizen; le mardi, il apporta une fourche pour aller avec la bêche, et un petit fût d'essence de cinq litres pour la lampe-tempête.

Nieuwenhuizen le laissait faire.

La défoliation du mercredi fut pour Nieuwenhuizen l'occasion d'une trouvaille hors du commun. À midi, tandis qu'il ouvrait une large voie dans un buisson de *kakiebos*, il tomba sur sa fourmilière. Il eut un coup au cœur lorsqu'au milieu de nulle part il trébucha sur cette attraction pittoresque dont il avait perdu la trace depuis plusieurs jours. Il retrouva son calme en aiguisant inutilement sa nouvelle bêche sur le mur des Malgas.

Nieuwenhuizen avait toujours présumé, sans y accorder plus d'attention, que la fourmilière était pleine de fourmis. (Par «toujours», bien sûr, il entendait depuis son arrivée sur ce terrain.) Il s'était imaginé la démolition de l'édifice : le plateau trouverait des sillons lubrifiés dans l'air par où s'introduire, la bêche fondrait en sifflant sur le dôme et le fendrait en faisant entendre un bruit sec. Alors des vagues et des vagues brûlantes de fourmis rouges déferleraient à gros bouillons sur les pentes.

Mais lorsqu'il essaya d'ouvrir une brèche, le fer rebondit et émit une vibration métallique qui lui engourdit la main. Il lui fallut racler la terre avec patience pendant des heures du côté aiguisé de sa bêche pour percer la carapace, qui ne révéla rien d'autre qu'un système complexe de galeries désertes. Il trancha un gros morceau au centre de la fourmilière, plus meuble que l'extérieur et truffé de trous, comme du gruyère, et l'examina plus attentivement : aucune trace de vie.

C'en était trop. Il alla se coucher.

Lorsque M. Malgas arriva ce soir-là, il trouva Nieuwenhuizen enfermé sous sa tente, qui dormait à poings fermés. Le calme du campement était déconcertant. Le visiteur déposa ses offrandes – une bouteille de gaz Cadac qu'il avait remplie de ses propres mains et un t-shirt Le Roi de la Quincaillerie, taille XL – puis rentra chez lui.

La patronne avait vu toute la scène. Et elle tenait à la rejouer à l'aide de son couteau à poisson et d'un petit tas de purée de chou-fleur, mais le patron ne voulait rien entendre.

«Il a taillé l'herbe autour bien proprement, insista-t-elle. Ça me rappelle quand tu t'étais fait enlever ce grain de beauté, et le docteur Dinnerstein...

— Monsieur Dinnerstein, la reprit-il. Maintenant, arrête de jouer avec la nourriture et mange.»

Tout le monde n'a pas l'étoffe d'un quincaillier. En une journée de travail, il se peut que celui-ci doive faire preuve d'invention afin de trouver des solutions à une foule de petits problèmes de la plus haute importance. M. Malgas, qui était taillé pour le métier, fut contrarié de voir qu'il n'arrivait pas à se concentrer. Au lieu de pointes, il distribuait des broquettes, et de l'insecticide en guise de chaux.

Les insectes. Il n'arrivait pas à se les sortir de la tête. Sa femme avait raison : ils s'étaient multipliés, ces derniers temps.

Le jeudi soir, il eut trois excuses pour rendre visite à Nieuwenhuizen : une boîte de rouleaux anti-moustiques, un bâton de produit contre les insectes et un morceau de papier tue-mouches qu'il insista pour suspendre à une branche de l'acacia. Le vendredi, en revanche, il apporta un gadget dernier cri qui permettait de maintenir en équilibre une marmite à trois pieds au-dessus d'une bouteille de gaz et de s'épargner ainsi le soin de faire du feu.

Nieuwenhuizen accepta ces présents avec calme. Il prit chacun d'entre eux dans ses mains, les regarda sous toutes les coutures et dit : «Merci, c'est tout à fait ce dont j'avais besoin.» Puis il trouva un endroit où les ranger et regarda son bienfaiteur d'un air interrogateur.

Malgas aurait apprécié une réaction plus enthousiaste, notamment en ce qui concernait le gadget pour la bouteille de gaz car, d'après lui, il avait vraiment tapé dans le mille. Mais il était satisfait malgré tout. Chaque soir, il avait la possibilité d'inspecter le chantier. Il était content de voir que les choses avançaient, même si le quadrillage lui échappait encore et qu'il ressentît un pincement au cœur quand il voyait les chemins disparaître sous les andains et les mottes de terre.

Au cours de ses rondes, il classait les considérations pratiques sur la construction d'une nouvelle maison par paires faciles à retenir, afin d'en énoncer plus facilement les avantages et les inconvénients – clous et rivets, marteau et enclume, hauts et bas (dans leurs relations aux tuyaux, s'entend), rands et cents, jours et semaines. Nieuwenhuizen, accroupi près du feu pour y remuer quelque mixture en train de mijoter, ou allongé devant la tente, la tête dans les étoiles, riait intérieurement mais n'en laissait rien paraître. Malgas, que rien ne décourageait, ne manquait jamais une occasion de proposer: «N'oubliez pas, quand vous en serez au stade de la construction, je suis juste à deux pas. Et habile de mes mains. Souvenez-vous en. Faites un nœud à votre mouchoir.»

Ce vendredi soir-là, Malgas faisait une démonstration de la polyvalence du nouveau gadget culinaire lorsque Nieuwenhuizen intervint pour accepter l'aide de son voisin.

«Pourquoi ne pas venir dès demain matin m'aider à me débarrasser de ce compost?»

Malgas entendit à ce moment-là un «clic» métallique retentir dans l'air entre Nieuwenhuizen et lui. C'était à

coup sûr le gadget qui venait de s'emboîter avec la bouteille de gaz. Mais Malgas finissait par croire que c'était
sa relation avec Nieuwenhuizen qui venait de franchir un
cap, passant de la coopération à la collaboration.

À l'aube, au jour convenu, un râteau flambant neuf
sur l'épaule (l'étiquette était encore enroulée autour
de l'une des dents aux couleurs assorties à celles du
manche), Malgas se dirigea d'un pas décidé chez son
voisin.

«Malgas.

— Père.

— Comment va?

— Bien. Et vous?

— Impatient.

— Tout comme moi.

— Tant mieux.»

Ils poursuivirent ainsi, soufflant dans l'air de menus
propos qui prenaient la forme d'arabesques de condensation ouvragées tandis que Nieuwenhuizen laissait reposer deux tasses de café prélevées dans la marmite à trois
pieds. Absorbé par la gravité de la situation, Malgas ne
demanda pas de nouvelles du gadget pour la bouteille
de gaz. Il se surprit à imiter les phrases lapidaires de
Nieuwenhuizen. Cette retenue faisait de l'échange un
prélude à un effort constructif, et Malgas était fier d'apporter sa contribution.

«Sucre?

— Un.

— Miel?

— Encore mieux.»

Ils burent leur café bouillant à petites gorgées. «Il a
un arrière-goût de vase, pensait Malgas. Et puis, qu'est-ce

qui flotte à la surface? Des écailles de poisson?» Mais il s'en fichait, le breuvage était fort et stimulant. Rien à faire, l'anse de la tasse était toujours trop petite pour son doigt, mais cela aussi lui était égal, car il préférait tenir le récipient brûlant de fer-blanc à deux mains, comme son hôte.

Nieuwenhuizen exposa un plan d'action : il commença par le quadrillage (lettres capitales de ce côté et chiffres romains de l'autre) puis expliqua laconiquement que les intersections pourraient constituer des points adéquats où amasser la végétation coupée. C'est alors qu'il posa une question cruciale : plus tard, lorsque le terrain aurait été défriché de la façon la plus économique possible, ne pourrait-on transporter chacun de ces petits tas provisoires pour les entreposer à proximité du campement, à l'endroit maintenant dévolu au feu, et les réunir en un seul monticule afin d'en faciliter l'incinération? Non?

Malgas écoutait avec une excitation grandissante. Le système du quadrillage était une révélation. Quant aux bulles de mots qui voltigeaient autour de la tête de Nieuwenhuizen, amarrées à ses lèvres par des filets de salive : «économique», «provisoires», «accumulation», «entreposer», «proximité», «incinération», elles ne permettaient plus à Malgas de douter qu'intelligence et prévoyance étaient entrées pour une grande part dans l'élaboration du plan, et il sentit avec émotion que Nieuwenhuizen était justifié. Plein d'ardeur, il se mit en route vers le poste de travail qui lui avait été attribué, à la frontière figurée par les roues de chariot. Nieuwenhuizen resta derrière, près de la tente, pour trifouiller l'un de ses gadgets.

«Souhaitez-moi bonne chance, Père.

— Bonne chance, Malgas.»

Comme tous les matins, le soleil se levait derrière la haie lorsque, d'un pas lourd, Malgas traversa le terrain dévasté. Herbe et chiendent coupés, tiges fracturées et feuilles lacérées, souches et bulbes écorchés, troncs démembrés et racines disloquées racontaient une histoire émouvante de cruauté et de tendresse mises au service du progrès. Le tapis de végétation trempé de rosée et de ses propres fluides versés offrait à Malgas un arôme savoureux à chacune de ses enjambées. De ses doigts tièdes, le soleil lui effleurait la nuque et le faisait frissonner de plaisir par avance. À son tour, du bout des yeux, il caressa la peau meurtrie de l'horizon et s'accrocha à l'avancée du toit de sa maison. Il remarqua qu'il était taché par l'aube sanglante. Courageusement, il poursuivit sa route. À chaque pas, la maison elle-même bondissait à travers l'horizon et, pour finir, s'immobilisa, nette et d'un seul tenant, tassée dans l'air du petit matin. Les murs avaient la blancheur du papier, les fenêtres étaient des miroirs aveuglants. Les roues de chariot se mirent à clapoter dans la lumière du soleil : Malgas ne tarderait pas à baigner dans la pleine splendeur d'une nouvelle journée de labeur.

Il arriva au pied du mur et se mit à son poste. Il jeta du coin de l'œil un regard en arrière. L'espace d'une demi-seconde, il perdit de vue l'objectif de sa traversée – mais avant que la graine du doute ait eu le temps de germer, ses yeux tombèrent sur Nieuwenhuizen, au loin, abrité par la haie, et dont la fourche pointait, dramatique, vers le ciel. Comme s'ils avaient scrupuleusement répété ce moment, Malgas, en réponse, leva son râteau. Des deux côtés, il y eut une pause lourde d'intention. Puis, comme un seul homme, ils se mirent au travail.

Malgas écarta les jambes et baissa la tête. Le manche du râteau coulissa dans sa main fermée, les dents mordirent les hampes et les tiges enchevêtrées, et il rassembla sa moisson. Au début, il se sentit raide et gauche. Mais à chaque passage, le râteau s'habituait à la tâche, comme si le bois lui-même, devenu plus tendre, avait pris la forme de ses mains.

Nieuwenhuizen se mit à chanter, mais Malgas ne l'écouta pas et se mit en quête du rythme de ses propres muscles, qu'il trouva sans difficulté. Il était dans son élément. Il commença à transpirer d'une façon saine et méritante. Le soleil eut tôt fait de se lever et exhala alors les délicieux parfums de décomposition qui s'élevaient de la végétation. En une heure à peine, Malgas avait déjà édifié trois tas provisoires dont chacun, composé de quatre brouettées, s'élevait à l'endroit exact prescrit par le quadrillage.

«Psssst…»

La communion de Malgas avec le fruit de son labeur était telle à ce moment-là qu'il crut d'abord que c'était l'un des tas qui lui adressait la parole dans une langue mystérieuse de vapeurs gazeuses.

«Houhou!»

Impossible de se méprendre sur cette voix humaine. Il en suivit la trace jusqu'à trouver le petit visage de sa femme, figé entre les rayons et la jante d'une roue comme dans une part de gâteau. Il fit signe au visage de s'en aller, mais à la place, celui-ci grandit et parla de nouveau.

«Viens là. J'ai quelque chose à te demander.

— Rentre à la maison.»

Il se concentra sur son travail, mais le rythme était rompu: le râteau se tordit et tomba sur le sol aride.

«Qu'est-ce qui se passe? Dis-moi, mais fais vite.

— Pourquoi tu n'es pas au travail ?

— Je travaille, là.

— Tu sais ce que je veux dire : qui s'occupe de la boutique ?

— Van Vuuren.

— Ce crétin. Ses connaissances en quincaillerie sont dangereuses. Il va gâcher le travail de toute une vie.»

M. Malgas ne répondit pas. Il défit l'un de ses lacets et le refit avec un double nœud.

«Typique, dit-elle en reniflant. Tu te tues à la tâche pour l'Autre, même si tu ne Le connais ni d'Ève ni d'Adam, pendant que ta propre famille meurt de faim.

— Je dois l'aider.

— Mais c'est toi qui fais tout, gros bêta. Regarde-Le. Il lanterne en faisant mine d'être occupé.»

L'air las, M. Malgas se redressa pour regarder son collaborateur à l'œuvre de l'autre côté du terrain. Nieuwenhuizen souleva une balle d'herbe au bout de sa fourche et en fit sortir un nuage de poussière rouge. Puis il jeta la balle et dispersa la poussière en grognant, l'outil brandi devant lui comme une paire de cornes. Il avait noué un foulard à pois jaunes autour de sa bouche et portait un chapeau de chasseur dont le bandeau était en peau de léopard et le bord, nettement relevé d'un côté. Des cheveux d'un gris sale en dépassaient comme une touffe d'herbe roussie.

Nieuwenhuizen fit un signe de la main. Pour lui répondre, Malgas leva la sienne à son tour mais s'aperçut juste à cet instant que l'étranger s'éventait simplement le visage. Malgas dut alors transformer son salut en une extension du bras et éponger son front humide d'un revers de manche. Ce subterfuge eut pour seul effet de rendre les choses plus confuses encore car il semblait stupide et transparent. Nieuwenhuizen ricana sous son foulard et embrocha une nouvelle balle d'herbe. Malgas, dont le visage bronzé rougit d'embarras, ne cessa de ratisser. Sa femme continua à lui parler pour lui mettre sous le nez la folie de sa conduite et la fourberie de l'Autre, mais il l'ignora, et elle finit par s'en aller.

Perchée sur son tabouret en guise de tribune, Mme Malgas observait les opérations de la journée avec des sentiments mêlés.

Le rôle du patron dans la mascarade qui se jouait sur le terrain la frappa par son ridicule, et elle fut à deux doigts d'en rire; pourtant, à mesure que la journée avançait et qu'il se tuait à la tâche avec une diligence sans faille, elle fut bien obligée de le prendre au sérieux. On aurait dit qu'il avait revêtu une cape de noblesse. Elle essaya de se défaire de cette impression, mais celle-ci persista, et elle voyait son mari d'un œil neuf, un œil qui refusait de faire la différence entre l'homme et la tâche qu'il accomplissait. Elle sentit les larmes lui monter aux yeux.

Elle trouvait touchant de si bien connaître son époux jusque dans les moindres détails. Ses vêtements l'enveloppaient comme une seconde peau trop ample, imparfaitement moulée: son bleu de travail avait gardé la forme des coudes et des genoux, et les *velskoene*[3] étaient parsemées de bosses brillantes à l'endroit où les orteils avaient frotté contre le cuir. C'était la tenue de travail que M. Malgas préférait, elle avait connu d'innombrables travaux de bricolage, notamment la construction du mur qui bouchait la cheminée, et la pose du Slasto. Elle le revoyait à genoux, il la regardait par-dessus son épaule et

---

[3] Chaussures sud-africaines montantes, en cuir brut ou non tanné.

souriait. Chacun des travaux avait laissé sa marque sur le tissu – nævus de laque, comédons d'essence, sutures des accrocs, croûtes de colle à bois et de Polyfilla. Rien qu'à les regarder, elle en avait des fourmis dans les mains.

À présent, la régularité des efforts du patron avait fait apparaître sous ses aisselles des auréoles de transpiration qui s'étaient étendues et rejointes pour former un losange sombre dans le bas du dos, et le tissu kaki qu'elle connaissait bien avait lentement viré au chocolat. Cette transformation patiente faisait réapparaître les cicatrices durement gagnées ; elle réveillait aussi quelque processus fondamental de la nature elle-même et fit venir d'autres larmes aux yeux de Mme Malgas, qui dut les essuyer, amère, avec l'ourlet de sa jupe.

Au fil des heures, le cou de son époux semblait rougir franchement, mais elle se raisonna : la poussière devait certainement en être responsable, plutôt que le pâle soleil. Bien des fois, elle fut prise de l'envie de voler à son secours armée d'un tube d'écran total et d'un pichet d'eau glacée, mais l'intuition que ce geste l'impliquerait dans l'imprudente coalition de son mari avec l'Autre la retint.

Ce qui rendait la ruse de Nieuwenhuizen d'autant plus méprisable, c'était le plaisir qu'éprouvait le patron à rendre service, et donc la facilité qu'il y avait à l'exploiter. Pour Mme Malgas, il était évident que l'Autre essayait d'éviter son mari : Il trouvait toujours un moyen d'être là où ce dernier n'était pas. Et le patron abattait la besogne de deux hommes tandis que l'Autre ne faisait rien, sinon remuer du vent et agiter des nuages de poussière pour masquer Sa propre oisiveté. Tantôt Il se trouvait dans le caniveau, près de la route, à rassembler des feuilles mortes, tantôt Il cavalcadait sur le terrain et lançait son trident au petit bonheur; ou alors Il caracolait le long de la haie, la battait du plat de Sa bêche, la ratissait de Ses mains ou lui donnait des coups de pied, de sorte que les feuilles s'envolaient en essaims bruyants et tournoyaient en l'air. Où allaient-elles se percher? Où bon leur semblait. Quel était le but de la manœuvre? Donner plus de travail au patron.

«À table!» lança faiblement Mme Malgas à treize heures, puis de nouveau: «À table!» Mais ses appels tombèrent dans l'oreille d'un sourd.

Au milieu de l'après-midi, alors que M. Malgas avait ratissé seul tout le terrain et ôtait les gourmands de la rigole qui entourait la tente, Nieuwenhuizen allait de tas en tas en agitant un nouveau nuage de poussière qui bouillonnait au-dessus de la haie comme une nuée d'orage, meurtrie et ensanglantée par le couchant.

Nieuwenhuizen révoltait Mme Malgas. Il n'était source que de saleté et de chaos. Elle ferma hermétiquement toutes les fenêtres, mais la poussière qu'Il soulevait continuait à pousser comme une barbe d'un jour sur toutes les surfaces lisses de son foyer.

Il est le sel de la terre, se disait Nieuwenhuizen. Un peu balourd, mais malgré tout, solide comme un roc. Et avec ça, une volonté à toute épreuve, et besogneux comme une abeille. Il fera l'affaire. Mais sa patronne de rien du tout... qui rôde derrière le mur comme si elle était la femme invisible... elle ne vaut guère mieux qu'un Kleenex. Élevez-la à la lumière et vous verrez à travers.

Quelque observateur madré ayant pris de la hauteur aurait pu envisager la façon dont Nieuwenhuizen gardait ses distances avec Malgas comme la révolution prévisible d'un homme autour de l'autre, car au moment où Malgas avait soulevé le dernier tas, Nieuwenhuizen se tenait à côté afin d'en retirer l'excédent de poussière, puis tous deux s'étaient redressés au même moment et avaient baissé leurs outils à l'unisson. Ils se dirigèrent d'un même pas – même si Malgas marchait derrière – vers le milieu du terrain, s'arrêtèrent à l'endroit qui surplombait les ruines souterraines de la fourmilière (carré VIE), et contemplèrent le paysage. Le spectacle était émouvant – la terre chaumée et ses rangées bien alignées de monticules, comme autant de tombes. «Combien?» se demandait Malgas, tandis que Nieuwenhuizen les comptait à voix basse.

Quelques regards éloquents furent échangés. Malgas rentra chez lui chercher sa brouette. Sa femme essaya d'attirer son attention par la fenêtre de la chambre, mais il détourna la tête. Lorsqu'il revint en sifflotant pour couvrir le grincement grossier de l'axe de la roue, Nieuwenhuizen avait déplacé les pierres du foyer qui étaient devant l'entrée de la tente pour faire de la place au grand monticule d'herbe.

Dans l'obscurité qui tombait, ils chargèrent un à un les tas provisoires sur la brouette et les transportèrent jusqu'à l'entrepôt. Un œil hostile aurait noté que Nieuwenhuizen brassait beaucoup d'air alors que Malgas maniait la fourche et poussait la brouette. Il faisait nuit lorsqu'ils achevèrent leur besogne. Paradoxalement, l'obscurité était porteuse d'une joie enfantine : Nieuwenhuizen y répondit en sautant dans la brouette, au garde-à-vous, et Malgas renchérit en se mettant en position pour lui faire faire un tour du site. Lorsque Nieuwenhuizen fut rassasié de balancements hilares et de saluts à des foules de spectateurs invisibles, Malgas le reposa dans l'ombre du monticule.

La montagne de végétation pourrissante les surplombait. Çà et là, les feuilles jaunies luisaient comme des braises au milieu du feuillage fané, comme s'il suffisait que les deux hommes chuchotent à côté pour que la masse tout entière prenne feu.

Avec beaucoup de précautions, Nieuwenhuizen détourna le visage puis parla pour la première fois depuis le début du défrichement ce matin-là :

«Malgas, vous avez fait un boulot fantastique. Je ne pense pas que j'aurais pu y arriver sans votre aide. Je vous en donne ma parole : rien ne poussera ici à moins que nous ne l'ayons voulu tous les deux. Maintenant, rentrez chez vous. Reposez-vous. Quand vous serez frais et dispos, revenez si vous en avez envie, et nous brûlerons ce tas jusqu'à ce qu'il ne reste plus rien, ni branche ni racine. Merci mille fois, et à plus tard.»

Malgas comprit intuitivement la signification de cette allocution chaleureuse, tout comme il avait apprécié la petite causerie télégraphique de la matinée : elle était directement proportionnelle à la plénitude satisfaite d'un travail bien fait. Il se lança alors à son tour dans une réponse détaillée que Nieuwenhuizen, bon prince, laissa courir sur trois paragraphes avant de souhaiter le bonsoir à son voisin et de se glisser dans sa tente sans plus de cérémonie.

Malgas rentra chez lui.

Nieuwenhuizen était allongé sur le dos, la tête posée sur une chaussure en guise d'oreiller, les pieds nus sur le chapeau en guise de coussin. Une bougie, dans une boîte de corned-beef, reposait sur son estomac.

Un insecte escaladait la voûte de la moustiquaire au-dessus de sa tête, et il en suivait la progression avec intérêt. En d'autres circonstances, il aurait écrasé l'intrus pour des raisons d'hygiène mais, ce soir-là, il se sentait l'âme téméraire; de toute façon, il avait levé la bougie quelques instants auparavant pour s'apercevoir que l'insecte se trouvait à l'extérieur de la gaze. C'était une bestiole tout ce qu'il y avait de plus ordinaire, de celles que l'on rencontre parfois dans les dessins animés, vêtues de gilets et de demi-guêtres. Ses pattes semblaient disproportionnées, en forme de points d'exclamation. L'insecte atteignit le sommet de la tente, à l'endroit où le filet était suspendu au piquet, et s'arrêta. Nieuwenhuizen aurait voulu qu'il continue à avancer, dépasse le sommet et redescende de l'autre côté, mais il ne bougeait pas. Il le taquina de l'index dans l'espoir qu'il se roulerait en boule et redescendrait par le même chemin, mais il se contenta de sortir les antennes et de rester campé sur ses positions.

Nieuwenhuizen rapprocha la flamme, pour tâcher de voir l'expression sur le visage de l'insecte.

Pendant ce temps-là, Malgas, debout sur la balance dans la salle de bains, regardait les chiffres sur le cadran par-dessus le renflement de son ventre et essayait de se rappeler les termes exacts du discours de remerciement qu'il venait de prononcer.

Il commençait ainsi: «Mesdames et messieurs – non, je reprends – Père, c'est un immense plaisir pour moi d'avoir l'occasion d'exprimer en public ma gratitude...» Mais la suite s'était envolée. Tout ce qu'il se rappelait, c'était quelques mots épars – «honneur», «de bons voisins», «proximité», «collaboration», «efforts». Et il se souvenait de ce qu'il disait lorsque Nieuwenhuizen l'avait interrompu: «Le moment viendra...»

«Bye-bye!»

Mme Malgas entra dans la salle de bains pour tenter de ramener son mari à la raison.

Elle le trouva en train de barboter dans une eau sale, les pieds calés sur les robinets. Il était absorbé par ses ampoules, apparues exactement au même endroit sur les deux mains: la partie palmée entre le pouce et l'index. Il les pressait à tour de rôle dans l'espoir qu'elles éclateraient, mais elles conservaient obstinément leur forme, comme de petites soudures encore fraîches.

La patronne s'intéressa alors aux pieds de son mari. Ils ne la touchaient pas vraiment, dans cette nudité, sur fond de céramique crème; elle les préférait chaussés. C'était des pieds d'enfant, trop doux et trop roses pour le grand corps brun qu'ils étaient censés soutenir. Avec leurs plantes crevassées et leurs orteils informes, ils ressemblaient à des jouets de bain dégonflés.

L'anatomie tout entière du patron restait obstinément indifférente au jugement de sa femme. Elle le laissa tremper.

Mais lorsqu'il se fut séché, elle se mit à sa disposition pour appliquer un reste de cold-cream sur sa nuque, qui avait fini par attraper des coups de soleil.

Le Buccaneer Steak House, dans le Helpmekaar Centre, était l'un des établissements les plus réputés de sa catégorie. Tout le monde en connaissait le slogan: «Notre viande vous fait un effet bœuf.» La gérante, une certaine Mme Dworkin, et M. Malgas s'appelaient par leur prénom, aussi prit-elle avec plaisir sa commande par téléphone: deux carrés d'agneau, un avec frites, l'autre avec pomme au four.

«Rien pour moi, merci, dit la patronne avec humeur. On se contente toujours d'un casse-croûte le samedi, et je ne vais pas changer les habitudes de toute une vie à cause de l'Autre.»

Le Buccaneer devait également sa réputation aux prix sacrifiés qu'il pratiquait et à la rapidité de son service : en l'espace d'une demi-heure, Malgas et Nieuwenhuizen étaient assis sur leurs pierres au pied de la montagne morte, dans la lumière de la lampe-tempête, piquetée d'éphémères, les emballages de polystyrène bien reconnaissables aux couleurs de l'établissement, ouverts sur leurs genoux. Nieuwenhuizen avait choisi la pomme au four; alléchante, elle fumait lorsqu'il la coupa avec son couteau en plastique. Il déballa la petite plaque de beurre et la laissa tomber dans l'entaille.

«Cuite en robe des champs», dit Malgas à voix basse, répétant une expression que Nieuwenhuizen venait d'utiliser : "je les ai toujours aimées cuites en robe des champs". Malgas soupira et sala ses frites. «Il vaut mieux donner que recevoir, dit-il d'un air songeur, même s'il est agréable aussi de recevoir. Tenez, il y a même du vinaigre dans un petit sac plastique. Ils pensent vraiment à tout.»

Il se pencha au-dessus de ses côtelettes et respira un mélange de sauce barbecue et d'agneau cuit au grill; par une heureuse coïncidence, la marinade épicée du Buccaneer se mariait de la façon la plus exquise au délicat parfum herbacé du monticule : estragon… cannelle… kakiebos… La perfection.

Mais qu'est-ce que c'était que ça? Quelque chose de médicinal s'était insinué dans le mélange et menaçait de tout gâcher. Eucalyptus? Non, lanoline? Camphre?

Malgas renifla encore, et en conclut que cette odeur déplaisante provenait de sa nuque! Tout d'un coup, il eut pleinement conscience d'être propre comme un sou neuf. Des plis marqués au fer apparaissaient sur son short, à des endroits inattendus. Ses cheveux fraîchement lavés étaient séparés par une raie. Il y avait un revers bien net – non, pas un, mais deux! – à ses longues chaussettes. «J'ai fait une bourde impardonnable», se dit Malgas, en colère, mais il se donna l'absolution immédiatement. «L'idée de prendre un bain ne me serait jamais venue si elle n'avait pas pris son air dégoûté et fait couler l'eau.»

«Ingénieux, comme objet, dit-il pour dissimuler son embarras. Remarquez les charnières, et le petit compartiment triangulaire, dans le coin, pour accueillir la sauce. Génial.»

Nieuwenhuizen jeta un œil au dit compartiment, grogna, s'essuya les doigts sur sa tenue de brousse et arracha une autre côtelette.

Une fois rassasiés, ils remirent leurs pierres en place pour préparer le feu.

«Un petit discours, Père, suggéra Malgas.

— Et pourquoi pas? Je me sens l'humeur éloquente.»

Nieuwenhuizen rassembla ses idées tout en nettoyant ses paumes grasses à l'aide d'une poignée de sable, puis il demanda le silence, s'éclaircit la gorge, et commença :

«Nous avons fait un dîner somptueux, merci à notre collègue et ami Malgas pour sa générosité. Nous allons à présent nous asseoir autour d'un bon feu et bavarder gentiment.

— Bravo! Bravo! s'exclama Malgas. Voilà qui est parlé!»

Nieuwenhuizen sortit une allumette d'une boîte étanche, la gratta et promena la flamme au bas du monticule.

Il ne voulait pas s'enflammer.

«Ça arrive, parfois», dit Malgas, qui farfouilla dans le noir et, d'un geste ample, produisit un grand paquet d'allume-feu.

Nieuwenhuizen secoua la tête d'un air décidé.

C'est un Malgas déconfit qui fit irruption chez lui quelques minutes plus tard, attrapa une clé pendue à un crochet et se rendit au garage; sa femme le suivit en silence jusqu'à la porte de derrière et attendit qu'il revienne, un bidon d'essence à la main.

«Sois prudent avec ça», dit-elle.

Il prit deux packs de bières dans le frigo (des Lion et des Castle).

«Sois prudent avec ça aussi», dit-elle, marchant sur ses talons jusqu'à la porte d'entrée, et elle le regarda s'éloigner à travers la barrière de sécurité. Puis elle regagna son tabouret dans le salon obscurci.

Nieuwenhuizen prit le bidon d'essence et se lança à l'assaut du monticule. Malgas voulut l'accompagner, mais l'autre refusa. «Vous allez salir vos chaussures», dit-il, triomphant. Il abandonna Malgas au campement, qui contemplait sa paire de Hush Puppies d'un air abattu. Nieuwenhuizen gravit le monticule à pas de géant et, en un clin d'œil, se trouva au sommet. Au lieu de vider l'essence au cœur du monticule, ainsi que Malgas l'avait préconisé, il leva le bidon comme s'il voulait porter un toast et fit claquer ses talons.

Malgas profita de l'occasion pour séparer les ligots et les piquer dans la partie inférieure du tas. Ce travail accompli, Malgas vit que Nieuwenhuizen était toujours occupé et fit alors glisser l'attache de ses chaussettes pour les rouler sur ses chevilles. Il s'ébouriffa les cheveux. Il commençait à se sentir beaucoup mieux. Nieuwenhuizen interrompit sa danse et entama une série de libations, d'abord aux points cardinaux puis aux autres points intermédiaires moins connus : NNO, SSE, NOS. Malgas s'allongea par terre, roula sur lui-même plusieurs fois de suite puis regarda alors les étoiles. Elles étaient loin, c'était indiscutable. La patronne aimait les décrire comme des trous d'épingle dans une bâche de velours. Elles avaient des noms, que seuls les spécialistes connaissaient et, paraît-il, elles «tournoyaient». De plus, les étoiles vaticinaient. Si vous compreniez comment les relier, comme dans ces jeux pour enfants, vous obteniez des figures mythologiques et des gens très connus. «Il sait sans doute comment y faire. Il a voyagé. Et pourquoi pas moi, alors que j'en sais tant sur le monde ? Quand on prendra le café je… mince ! Les sablés !

Lorsque Nieuwenhuizen revint enfin, il fut salué par des cris enthousiastes : «Un discours ! Un discours !» mais, d'un geste de la main, il rejeta la demande. Ses tribulations sur le monticule avaient eu un effet merveilleusement apaisant sur lui, car il donna à Malgas une tape entre les omoplates et lui tendit les allumettes. «À vous l'honneur – vous êtes mon invité. Je m'occupe des lumières.» Il éteignit la lampe-tempête.

Plus tard, lorsqu'il devait se rappeler sa conduite en ces circonstances inhabituelles, Malgas ressentirait une vague de fierté. Cela aurait mal tourné pour lui s'il avait suivi l'exemple de son hôte et s'était baissé pour allumer le feu. Dans le feu de l'action, il avait pourtant réussi à s'acquitter de cette tâche avec grâce et sang-froid. Une image lui était venue à l'esprit – celle d'une allumette qui, telle une minuscule fusée, décrivait un arc enflammé dans le ciel – et cette aubaine avait sauvé la situation et laissé dans sa mémoire un souvenir indélébile de beauté et d'équilibre. Sa main avait trouvé le geste exact qui convenait pour gratter la tête de l'allumette sur le côté de la boîte et la lancer afin qu'elle entreprenne son voyage; l'allumette, qui s'était enflammée à son entrée dans l'atmosphère, de plus en plus incandescente à mesure qu'elle avançait, avait trouvé avec précision la trajectoire triomphale qui l'amènerait, au plus fort de sa combustion, jusqu'à la montagne à présent noyée dans des miasmes de vapeurs volatiles; la meule, aigrie par l'odeur de l'essence, retint son souffle, ses membres enchevêtrés frissonnèrent, elle suffoqua... et cracha une immense langue de flamme, si incandescente que la nuit devint jour et éclipsa les étoiles.

Nieuwenhuizen n'aurait pas été plus ébloui si Malgas lui-même s'était enflammé. Il esquissa un geste en direction de la pierre à côté de lui. Malgas s'affaissa de tout son poids sur celle-ci et, muets d'émerveillement, ils regardèrent la montagne en flammes.

Le feu finit par s'éteindre, la meule commença à s'effondrer sur elle-même, éclaboussant d'étincelles l'obscurité révoltée, et Nieuwenhuizen retrouva sa langue.

«Rapprochez un peu votre pierre, je vais vous raconter une histoire.

— Ah, j'oubliais», dit Malgas. Désinvolte, il tâtonna dans l'ombre et rapprocha les bières. Elles étaient toujours glacées. Nieuwenhuizen lui donna une bourrade dans le bras et choisit une Castle, Malgas fit de même, et ils décapsulèrent leurs canettes.

«À la vôtre!»

Ils burent.

Du revers de la main, Malgas essuya d'un geste ample la mousse sur ses lèvres.

«Parlez-moi de votre maison d'avant, dit Malgas, pressant. Qu'est-ce qui vous a fait prendre vos cliques et vos claques et parcourir tout ce chemin pour tout recommencer? Avez-vous un rêve? Dites-moi tout, n'omettez rien, je suis un vase qui attend d'être rempli. J'ai aussi besoin de faits précis, pour venir à bout du scepticisme de la patronne.»

Pour Malgas, c'étaient les phrases les mieux tournées qu'il ait jamais dites; nul doute que c'étaient les plus inspirées de toutes celles adressées à Nieuwenhuizen jusque-là. Ce dernier apprécia également le discours, et une pointe d'admiration se lisait sur son visage lorsqu'il pencha la tête, créant ainsi sur ses traits un jeu d'ombres obliques; il fixa le feu où une masse de langues emmêlées remuait, et murmura:

«La patronne...

— Ma femme.

— Oui, je me souviens.» Silence. «Par où commencer... Voilà.» Du bout de sa chaussure, il fit sortir du cercle de cendres une côte calcinée. «Prenez cette côte, Malgas.»

Malgas cracha sur ses doigts et ramassa l'os.

À ce moment-là, les lumières s'allumèrent dans le salon de Malgas, une fenêtre s'ouvrit comme soufflée par une explosion et on entendit Mme Malgas crier:

«Éteignez ces flammes immédiatement! Il est interdit de faire du feu dans cette zone. Envoie-le balader, biquet!

— Cette fois, elle va trop loin», dit Malgas dans sa barbe.

Il se leva d'un bond et s'engouffra dans la nuit. Tandis

que, furibond, il traversait le champ de chaume, la canette de bière collée à sa nuque brûlante, un brouet de phrases vibrantes de colère bouillonnait dans sa gorge, mais la seule vue de la silhouette tremblante de sa femme suffit à le lui faire ravaler. Tout ce qu'il réussit à articuler, alors qu'il fonçait vers le mur, fut:

«Éteins tout de suite les lumières! Tu gâches tout notre feu!

— À cause de l'Autre, il y a de la suie sur tous les meubles», gémit-elle, et elle se mit à s'agiter contre la vitre comme une silhouette de papier découpé. «Maintenant, la piscine est d'un noir d'encre. Mais regarde tes vêtements! Où est-ce que tu as encore été te fourrer?

— Tu ne crois pas que tu as fait assez de dégâts pour aujourd'hui?

— C'est une zone résidentielle, ici.»

Mais il y avait une note blessée dans la voix de son mari qui la désarma: elle sortit de la pièce dans un bruissement et éteignit la lumière.

«Il commençait à sortir de sa coquille, chuchota M. Malgas d'un ton pressant en direction de la fenêtre ouverte. Mais encore une intrusion brutale comme celle-ci, et il y rentrera pour de bon. C'est ça que tu veux? À propos, on a des biscuits quelque part dans cette maison?»

Pas de réponse.

«Des marshmallows?»

Silence. Elle avait déserté son poste.

Faute de mieux, il retourna à pas lents au campement. Au loin, la silhouette courbée de Nieuwenhuizen était couchée, comme un rameau noir, à côté d'un monticule de braises vacillantes.

Mme Malgas alluma la télévision et s'assit dans le fauteuil de son mari. Il sentait l'après-rasage. Il l'enveloppait dans son étreinte, et elle s'y sentait toute petite. La lumière violette qui émanait de l'écran, où deux hommes descendaient du cognac Richelieu tout en parlant affaires, donnait à la pièce l'atmosphère d'un abattoir aperçu la nuit, en voiture. Un effet bœuf. Elle étudia ses avant-bras fluets : on aurait dit que la chair était froide et que le sang s'était retiré. «La pâleur de la mort» fut l'expression qui lui vint à l'esprit et elle pensa qu'elle pourrait la crier par la fenêtre.

«Elle nous fait ses excuses, ça ne se reproduira plus», dit Malgas en s'asseyant sur sa pierre, la côtelette à la main. «Vous disiez …

— Je disais…

— La pâleur de la mort!»

*

«Alors l'Autre a dansé la gigue au sommet, on aurait dit qu'il le foulait pour en extraire le jus, et puis Il l'a arrosé d'essence, comme si c'était un baba au rhum.

— Pour l'amour du ciel, tu veux bien arrêter de me raconter tout ce qu'il a fait! J'y étais, je te signale.

— Bien sûr que tu y étais. Je me disais juste que tu aimerais peut-être avoir un éclairage différent sur les événements.

— Non merci. Je voudrais oublier cette histoire… Je n'ai jamais eu aussi honte.

— Tu es toujours fâché contre moi.

— On s'entendait rudement bien. Il commençait à se livrer!»

Que ce soit la faute de la patronne ou non, Nieuwenhuizen avait une fois de plus perdu de sa détermination et recommença à traînasser sur le terrain.

Son indolence ne gênait pas M. Malgas le moins du monde.

«Il prend un repos bien mérité. Il s'entraîne pour la phase Deux: la construction à proprement parler de la nouvelle maison.»

Mme Malgas raillait.

«Tu veux rire. Il a transformé l'endroit en terrain vague, et maintenant, Il bat la campagne comme un demeuré et n'arrête pas d'aller et de venir en croquenots. Toi, tu crois peut-être qu'il ne se passe rien, mais moi, je te le dis, Il est à l'œuvre. Rien ne poussera plus jamais ici.

— À moins que nous ne l'ayons voulu tous les deux.

— Qu'est-ce que tu racontes?

— Rien.»

Pourtant, les allégations de la patronne lui revinrent en mémoire le lendemain soir lorsqu'il vit l'immense monceau de cendres rescapées du feu de joie, et la terre aplatie, entièrement balisée de croix et de flèches laissées par les semelles de Nieuwenhuizen.

Tous les soirs, Malgas le rejoignait au coin du modeste foyer désormais établi au bord du tas de cendres; il ne trouvait plus nécessaire d'inventer des excuses pour ses visites, mais il lui arrivait d'apporter un petit cadeau – tasseau ou charnière, paquet d'écrous ou tenon de cuivre, œillet de plastique ou bride en fibre de verre – témoignage de son désir de prendre part à un effort constructif. Nieuwenhuizen les rangeait un par un en souriant.

Chaque fois que Malgas s'enquérait des travaux, ce qui était fréquent, Nieuwenhuizen le grondait pour son impatience.

«Tout ceci a été réfléchi et maîtrisé, répondait-il, en écartant les bras pour embrasser son territoire. Et ce n'est pas une mince affaire. Je ne suis plus tout jeune, j'ai besoin de temps pour retrouver mes forces.

— Pour la phase Deux ?

— Bien entendu. »

C'est à la suite de l'un de ces échanges routiniers que Nieuwenhuizen décida que le moment était bel et bien venu.

Ils attendaient que l'eau bouille dans la marmite quand Nieuwenhuizen entra en action. Armé d'un râteau, il préleva dans les braises un clou chauffé au rouge, long comme un crayon, le souleva à l'aide de pincettes en fil de fer, le plongea dans le baril d'eau, l'agita pour dissiper la vapeur, l'inspecta méticuleusement, manifesta son approbation et le tint par le bout pointu.

«En avez-vous de semblables en stock?»

Le frisson d'un pressentiment courut le long de l'échine de Malgas. Il sut aussitôt qu'ils avaient atteint un seuil critique, et il voulut se montrer à la hauteur des événements, tel un poisson qui mord à l'hameçon. D'un air de connaisseur, il plissa les yeux, prit le clou, le soupesa d'une main, puis de l'autre, le fit sonner contre l'ongle du pouce et le porta à son oreille, renifla la tige rainurée puis plaça la tête plate sur le bout de sa langue.

«Peu commun. Je pourrais vous en commander… mais vous n'avez sans doute pas besoin de mastodontes comme celui-là? Si vous posiez des rails de chemin de fer ou construisiez une arche, je comprendrais, mais là, pour des lattes, des poutres ou assimilées, des clous deux fois plus petits seraient plus adaptés.

— Ne me baratinez pas, dit Nieuwenhuizen, un brin

irrité. J'en veux trois cents, et je vous jure que s'ils ne sont pas exactement comme celui-ci, ils repartiront au magasin.

— D'accord, d'accord, on ne s'énerve pas. Au Roi de la Quincaillerie, nous avons une devise : "Le client a toujours raison." Mais je n'y serai pour rien si...»

Au moment où l'eau frémit, Nieuwenhuizen se leva d'un bond pour retirer la marmite du feu. Et Malgas ravala l'essentiel de sa phrase, qui était : «... votre maison n'a pas un fini professionnel parce que les cornes de ces monstres dépassent de partout.»

«Les cornes, dit M. Malgas à sa femme, *les cornes des monstres*. C'est ça qui a emporté le morceau. Il a fini par se rallier à mon point de vue. Si un jour il construit sa maison, il faudra bien qu'il me remercie.»

bariolées. Castagnettes, chromées, Clacker-jack™. Frisbee à motifs chinois. Mickey et Minnie bénis par le pape (Pie). Pomme de pin. Crucifix, commémoratif, balsa et papier-mâché, 255 mm × 140 mm. Calendrier, Solly Kramer's, Troyeville, faune indigène peinte à la bouche, 1991. Réveil Ginza, cassé (bon pour la brocante ?)

Lorsqu'il s'avéra que l'usine ne pourrait livrer la commande avant le week-end en raison de grèves (salaires décents, indemnités, congés de maternité), Malgas fit un détour par Industria après son travail pour aller chercher les clous lui-même. Il y en avait deux cent quatre-vingt-huit, préemballés et douillettement installés dans deux caisses en bois prévues pour en contenir une grosse chacune, plus une autre douzaine enveloppée dans du papier kraft maintenu par une bande de scotch.

Tout, dans ce travail exemplaire de l'emballeur, rassurait Malgas. Les planches rugueuses et les poignées de corde témoignaient d'un souci de sécurité lors du transport et d'une attention à l'effet d'ensemble; mais il avait aussi accordé un soin particulier aux détails – en témoignaient la tête fraisée des vis et l'espacement des caractères dans l'inscription au pochoir: HAUT. Les encombrements à l'heure de pointe lui laissèrent le temps de réfléchir et, le temps d'arriver au site, il était presque convaincu que ces clous gigantesques seraient parfaits pour l'édification à venir.

Il déchargea les caisses de l'arrière de la camionnette et les mit dans la brouette, qu'il poussa jusqu'au campement. Nieuwenhuizen s'était dispensé de cette activité afin de pouvoir fouiller sa valise de fond en comble. Malgas prit donc l'initiative de ranger les caisses sous l'arbre, au frais et au sec. Puis il retourna chercher le paquet qui contenait la douzaine surnuméraire – les Douze, comme il aimait les appeler. À peine était-il revenu, les clous sous le bras, que Nieuwenhuizen trouva ce qu'il cherchait: une cartouchière de cuir, très appréciée mais qui avait fait peu d'usage, à en juger par la patine laissée sur la boucle par le nettoyant pour cuivres séché, la moelle de dégras figée et les peluches qui encrassaient de nombreux œillets.

Tandis que Nieuwenhuizen attachait la cartouchière en bandoulière, Malgas prit à nouveau l'initiative et fit sauter le couvercle de la première boîte. Il y trouva une couche épaisse de lambeaux de papier, couleur paille. Parfait. Il sortit le papier à la hâte et il les vit enfin: cent quarante-quatre clous de la meilleure qualité disponible sur le marché, bien alignés douzaine par douzaine et tête-bêche de couche en couche afin de compenser le fuselage des tiges. Même sa sensibilité extrême à l'emballage ne l'avait pas préparé à cette disposition minutieuse, ce qui redoubla son admiration pour ces clous.

«Maintenant que je les vois ici, dans leur contexte, je commence à comprendre où vous voulez en venir, dit Malgas d'un air songeur. Ils ont un je ne sais quoi d'inexplicable...»

Nieuwenhuizen regarda dans la boîte et sourit. Il déballa l'un des clous, souffla sur une mince feuille de papier qui l'entourait et le glissa dans un œillet de cuir. Il allait parfaitement.

«Ah, s'exclama Malgas.

— Remplissez les autres», lui ordonna Nieuwenhuizen, jambes écartés et bras levés comme si Malgas était son tailleur. Il continua à sourire avec bienveillance pendant que son voisin remplissait la cartouchière.

Celui-ci trouvait cette tâche gratifiante : elle consistait à expulser la graisse à l'aide de la pointe du clou, essuyer le gras sur son pantalon, et enfoncer la tige jusqu'à ce que la tête tienne bien contre l'œillet. Progressivement, il eut à cœur de rechercher et de mettre au point un rythme qui lui permette d'économiser son énergie. Il y avait trente-six œillets. Nieuwenhuizen sautillait sur la pointe des pieds, découvrant son nouvel équilibre. Malgas eut la surprise de constater que les jambes de son hôte ne se brisaient pas sous la charge.

«Mon chapeau.»

Malgas décrocha le couvre-chef de l'acacia, le tapa contre sa cuisse pour le débarrasser de la poussière, remit le fond en forme et en coiffa Nieuwenhuizen. Celui-ci l'inclina pour lui donner un petit air canaille et demanda :

«Alors ?

— Saisissant. Quel est le mot exact... fringant.

— Ça me plaît. Je me sens fringant.»

Nieuwenhuizen prit quelques poses insouciantes, ce qui donna à Malgas l'occasion d'examiner plus attentivement sa mise. Il avait fière allure. Seule note discordante de cette tenue: la cartouchière. Pour Malgas, elle était de trop. Plus il la regardait, moins il l'aimait. Elle était prétentieuse. Un simple étui passé sur une ceinture de cuir aurait tout aussi bien fait l'affaire. Maintenant qu'il avait imaginé un étui, il ne pouvait empêcher un flot d'images simples de déferler dans sa tête: le visage souriant d'un marteau à panne ronde... une solide motte de terre qui s'effrite entre un pouce et un index puissants... une faux tachée de sève... un jet d'eau chlorée s'échappant d'un tuyau... un *sjambok*[4], des socs de charrue... des culottes en toile de jute... des hiéroglyphes de boue qui gouttaient des semelles d'une chaussure soignée. Ces images spontanées (qui les avaient convoquées?) et leur majestueux passage (mais d'où venaient ces roulements de tambour?) lui fichaient la trouille.

«Vous avez vos clous, dit-il en remontant la marée d'images, et mieux vaut trop grands que trop petits, j'imagine. Pardon de soulever le problème, mais... vous n'avez encore rien à clouer. Il devient de plus en plus urgent d'avancer les plans. Il est grand temps de commander votre matériel de construction: briques, ciment...

— Trop, c'est trop, dans quelle langue faudra-t-il vous le dire?» s'écria Nieuwenhuizen avec humeur.

Le bonhomme commençait à avoir des prétentions.

«Planches et produits assimilés...

— La ferme.

---

[4]   Fouet de cuir sud-africain, souvent associé à l'apartheid.

— Pardon?

— Taisez-vous. Je ne supporterai pas une minute de plus de vous voir essayer de me river le clou.

— Rivets? Clous?

— Vous ne pensez qu'à ça, cher ami : la quincaillerie, et il n'y a plus de place pour les conjectures.»

Cette explosion de colère affecta profondément Malgas. Il avait largement contribué aux derniers progrès, et Nieuwenhuizen le savait. Pourquoi déformait-il la réalité? Malgas bredouilla malgré tout une excuse : «J'essayais simplement d'être pratique.

— Ça, pour être pratique, vous êtes pratique», répondit Nieuwenhuizen, qui n'avait pas prévu cette justification, et répétait : «Vous, vous êtes tellement pratique» tout en essayant de penser à ce qu'il dirait ensuite. Puis, sans emphase : «Si vous êtes aussi pratique que vous le prétendez, répondez à cette question : vous êtes-vous déjà interrogé, ne serait-ce qu'un instant, sur l'allure et les dimensions de la nouvelle maison?» Par «déjà», il entendait depuis que Malgas était au courant de ses plans; et il faut ajouter ici que c'est exactement ce que Malgas avait compris. Nieuwenhuizen poursuivit malgré tout. «Non, certainement pas, pas besoin d'insister. Mais laissez-moi vous dire que pour ma part, j'ai besoin de penser à la maison tout le temps. Il n'est pas un instant où je ne pense pas à elle. Je la vois devant moi très nettement, en ce moment, alors même que je vous parle. Vous la voyez, vous? Hein? Pouvez-vous en désigner l'un des recoins? Est-ce qu'elle est rangée quelque part, cette maison, là-haut, dans votre petit entrepôt?»

Et il souligna cette dernière question en tapant assez brutalement sur le crâne de Malgas à coup de phalanges.

Tant de cruauté ne lui ressemblait pas, et le patron eut un mouvement de recul, occasionné par la déception et la confusion.

«Pas vraiment…

— Nous y voilà. C'est exactement ce que je veux dire. Pas la plus petite idée de la nouvelle maison, mais vous vous inquiétez déjà de savoir en quoi elle sera construite! Vous feriez mieux de mettre de l'ordre dans vos priorités, mon gars, sans quoi il nous faudra mettre un terme à notre collaboration.

— Je suis désolé, Père», balbutia Malgas.

Le mot «collaboration», prononcé sous le coup de la colère, l'avait atteint en plein cœur, et la peine se lisait sur son visage.

«Je suis une âme simple, comme vous le savez. Puisque vous en parlez, j'adorerais découvrir ce nouvel endroit. Je vendrais père et mère pour le voir, comme dirait la patronne. Mais je ne suis pas sûr d'en être capable. Vous ne m'avez pas donné d'indices. Puis-je tenter ma chance, malgré tout? Voyons… Serait-ce une maison à étage, par hasard?

— Allez, allez, n'en parlons plus.»

Aussi brutalement qu'elle avait éclaté, la colère de Nieuwenhuizen était retombée à nouveau.

«C'est à moi de m'excuser. Je vous en demande trop. Je pensais que vous saisiriez les choses par vous-même, sans qu'on vous tienne la main, et à présent, nous pâtissons tous les deux de mon audace. Peut-être n'est-il pas trop tard pour faire amende honorable.»

Ils s'assirent sur leur pierre, genoux contre genoux, ou presque. L'appréhension les avait soudain saisis. Nieuwenhuizen ouvrit et referma la bouche trois fois et demie, comme s'il ne savait par où commencer, mais il finit par prendre les mains de Malgas dans les siennes, les pétrit en une boule d'argile, et reprit, prudent :

«Vous rappelez-vous l'ancienne maison dont je vous ai parlé le soir de notre rencontre ?»

L'évocation de ce moment historique, remémoré avec vigueur par la poigne pleine d'épines de Nieuwenhuizen, suffit à provoquer chez Malgas un frisson mais il contint son émoi au souvenir des jours passés, et répondit d'un ton neutre :

«Elle était irrécupérable. La plomberie était morte. Si ma mémoire est bonne, les planches sous la baignoire avaient pris une teinte… verte.

— Bref. Le fait est que la nouvelle maison sera en tous points différente. En vérité, elle en sera la parfaite antithèse. Ironique. Pour vous donner une idée, la première était vieille, celle-ci sera neuve. La première tombait en ruines, celle-ci tiendra très bien, merci. La première était biscornue et pleine de courants d'air, celle-ci sera compacte mais confortable. Spacieuse, notez-le, pas exiguë le moins du monde, et avec un étage…

— Je le savais !

— Pour nous élever au-dessus de la fange quotidienne, nous offrir des points de vue, faciliter la surveillance de dangers larvés. Disons deux étages, il faut voir grand. Salles de bains attenantes. Bar encastré. Rien que des matériaux testés et approuvés. Briques, ciment, panneaux de métal brossé, l'étoffe de vos songes, à bas la toile moisie et la ferraille transitoires, du temporaire, tout ça – et encore. En avant ! Rien de mesquin ! Que du solide ! À l'épreuve des balles – il ne faut pas négliger cet aspect, j'en ai peur – et assez d'espace pour stocker deux ans de réserves. Et par-dessus le marché, de la moquette de couleur fonctionnelle, kaki peut-être, des lucarnes et du Slasto dans la salle de jeux. Des matériaux à gogo, Malgas : pile dans vos cordes. Malgas?»

Malgas ouvrit les yeux; ils brillaient d'un éclat inhabituel.

« Vous la voyez?

— Je ne la vois pas *elle*, en propre, dit le patron, qui se pétrit à nouveau les mains, et les serra contre les épines. Mais je vois déjà que ce sera un endroit fantastique. Je ne suis plus au point mort. Merci.

— Voilà qui est beaucoup mieux. Maintenant, dites-moi ce que je vous dois pour les clous?

— Rien du tout.

— J'insiste.

— Vous me vexeriez!»

bariolé. Botte, camouflage, combat. Couperet fabriqué en URSS, pliable. Arme traditionnelle : sagaie, massue, panga, pique, perche, piquet, pierre, brique, mortaise, stylo plume, attache parisienne, tampon encreur, marteau, faucille, pelle, râteau, taraud, rayon, aiguille à tricoter, crochet, œuf à repriser, couteau à beurre, cuillère à manche coudé, pot, poêle, saucière, batteur

Le chapeau de Nieuwenhuizen pendait crânement à l'acacia, et ses bottes, posées par terre, côte à côte, tiraient la langue. Ensemble, le chapeau et les bottes évoquaient l'homme invisible, rien de moins.

Nieuwenhuizen en personne, sous l'œil scrutateur de la femme invisible, se tenait au garde-à-vous non loin de là, dans le coin nord-ouest du carré IF, le regard franc plongé dans le soleil levant. Jusqu'à cet instant, l'astre s'était levé inexorablement, comme un ballon de baudruche, mais à présent, chose étrange, il restait immobile, comme si sa ficelle s'était accrochée dans les branches de la haie.

Si Nieuwenhuizen semblait méditer les conséquences de cette improbabilité stupéfiante, ses pensées le traversaient de haut en bas, tandis que la plante de ses pieds était gagnée par des fourmillements. Il plissa le front et fit danser ses sourcils, pour faire affluer un peu de sang dans son crâne. Il s'étira les doigts de pieds, assouplit sa main gauche, qui était dans sa poche : celle-ci, au moins, se portait bien, prête à accomplir la tâche à venir. Au contraire, sa main droite, serre figée, refermée autour du marteau-silex, lui semblait engourdie et difficile à gouverner. Par-dessus le marché, la cartouchière, alourdie par sa cargaison de clous, commençait à lui scier l'épaule.

Il allait s'avouer vaincu et battre en retraite dans sa tente, lorsque le soleil échappa à l'étreinte de la haie et remonta d'un seul coup dans le ciel.

«Illusion d'optique», dit-il dans un soupir de soulagement, et il se remit gaiement en marche.

Pied droit en avant, il compta six pas résolus. La terre était inhabituellement ferme et régulière sous ses semelles. Quand il posa le pied gauche pour la troisième fois, au milieu de IE, il se servit de sa main droite pour lancer le marteau-silex de toutes ses forces, pivota sur son talon, bascula de côté, s'élança vers le ciel en battant des bras à la recherche du marteau, comme une aile brisée, se raidit tel une statue au-dessus du sol, resta suspendu et immobile, pendant un instant long et oblique, puis retomba en poussant un cri de triomphe. Il se remit debout, et releva la marque laissée par son talon au sol. Puis il se sentit vidé de toute énergie, et s'effondra, à quatre pattes, pour observer la marque plus à son aise. Elle avait la forme d'une virgule à la tête renflée, à

la queue courte et molle. Il sortit un clou de la cartouchière et en enfonça la pointe dans la virgule. Alors, il
fit un moulinet avec son bras, comme si c'était un meuble cassé, et écrasa le clou d'un coup de marteau pour
l'enfoncer dans la terre.

Des étincelles jaillirent! Il était satisfait.

Les yeux fermés, il écarta les bras, tourna sur lui-même
dans le sens des aiguilles d'une montre, en décrivant des
cercles, et compta à voix basse: «Deux mille un, deux
mille deux, deux mille trois…» À cet instant, il s'interrompit, fila comme une flèche et, tombé à genoux, caressa la
terre de ses paumes, la pétrissant dans ses poings, rica-
nant, puis se releva d'un bond et recommença à tourner sur lui-même, dans le sens inverse des aiguilles d'une
montre: «Deux mille trois, deux mille deux, deux mille
un…Voilà, c'est mieux.»

Il fixa l'appendice rabougri qui se faisait passer pour
la cheminée de la maison de Malgas, écarta à nouveau les
bras comme un funambule, et entreprit de traverser la
parcelle à pas comptés. Le marteau dans sa main droite
le déséquilibrait et animait ses membres d'un dandine-
ment disgracieux; mais, fait inhabituel, sa tête restait parfaitement immobile. Il serra les dents et poursuivit son
avancée, pas à pas, jusqu'à ce qu'enfin, tout son corps se
mît à trembler comme une baguette de sourcier. Dans
un dernier effort de volonté, il fit claquer ses talons et sa
tête heurta le sol. Des ampoules s'allumèrent dans son
cerveau. Il vit le firmament, paré d'étoiles couleurs pas-
tel et de trois oiseaux, charognards décharnés, qui tournoyaient paresseusement dans le ciel. Puis tout devint
noir.

Quand il revint à lui, il sentit que des élancements
lui vrillaient la tête. Il ignorait combien de temps il avait

perdu, mais aurait pu le déduire aisément de la position du soleil. Assis, il regarda autour de lui et fut rassuré de découvrir la marque parfaitement lisible laissée par son occiput sur le sol. Bon présage, elle se trouvait dans le carré VID. Il retira un clou chaud et huileux de son œillet et l'enfonça dans le sol, au centre du creux.

Le planté de ce deuxième clou l'avait épuisé et étourdi, aussi se mit-il à ralentir pour les trois derniers : il marqua chaque emplacement avec le coude, comme s'il contrôlait la température du bain de bébé, et tapota sur les clous comme s'ils étaient en verre. Il s'avéra que le cinquième clou se situait dans un coin éloigné, IA, à l'endroit où la haie rejoignait le mur des Malgas, et ces abords désolés l'oppressèrent tant qu'il résolut de trouver dans le voisinage plus accueillant de sa propriété un écrin pour le numéro six.

Il mit donc le pied gauche devant le droit, fléchit les genoux, et d'un geste ample, tendit les bras derrière lui, comme un plongeur. Il leva les orteils gauches et le talon droit. Alors il lança les bras en avant, le silex serré dans ses mains jointes, tout en soulevant le talon gauche et les orteils droits. Puis il revint à sa position initiale, inspira, retint son souffle, compta jusqu'à dix, revint à la deuxième position et expira. Puis il bascula de la deuxième position vers la première et inversement, cinq fois de suite, plus une, en guise de porte-bonheur. Il s'élança alors, bondit, jaillit, esquiva, se déroba, roula cul par-dessus tête, dévia, sauta le tas de cendres et fonça sur l'épineux comme s'il comptait passer au travers.

Au dernier moment, il rebondit sur la pointe des pieds – ces élans de mirliton l'avaient mis en nage – et sauta sur une branche en surplomb. Ce fut un atterrissage au millimètre, et il ne s'infligea qu'une égratignure superficielle au mollet. Il repéra sans tarder l'emplacement de son atterrissage et, dans la position du cochon pendu, réussit à placer le clou numéro 6 (IIA) avant de se laisser tomber pour lui régler son compte de quelques coups bien assurés. Feux d'artifice! Arrivé au clou numéro 7, le porte-bonheur, il se sentit l'audace de tenter un flip arrière avec demi-tour au-dessus de la tente, faillit réussir, fit un plat, dont il se consola avec une sieste.

«Le patron!»

Madame Malgas, chargée de préparer le café du matin, remplissait la bouilloire dans l'évier lorsque Nieuwenhuizen attira son attention. Cette vision à jeun lui ôta quasiment la parole.

Le patron, en peignoir d'éponge, arriva d'un pas traînant et demanda:

«Où est le feu?»

Elle ne put que répondre:

«L'Autre!»

Le patron regarda par la fenêtre, et vit Nieuwenhuizen qui décrivait des cercles. Voilà qui était d'une totale nouveauté. Que diable avait-il en tête?

Le patron fit asseoir la patronne et versa le café. Une fois cramponnée à sa tasse préférée, elle se ressaisit, et une minute plus tard, avait suffisamment recouvré ses esprits pour relater l'incident en détails.

«C'est indescriptible mais je vais essayer malgré tout. Je me tenais là où tu es maintenant, oui, là, et il se trouve que j'ai regardé par la fenêtre, ce qui est on ne peut plus banal, on le fait sans y penser, et que crois-tu que j'ai vu?

— L'Autre?

— Exact! Au début, Il ne faisait rien de spécial, Il me tournait le dos, toujours aussi mal élevé. Mais sans crier gare, Il s'est jeté à terre, tête la première, et a commencé à besogner le sol, comme ça, en proie à une irrépressible luxure, comme s'Il voulait pénétrer la terre sur laquelle nous marchons.

— C'était un entraînement physique. Il se muscle pour la phase Deux.

— Tu parles, Il donnait des coups de boutoir à gogo! On voit encore la poussière!

— Sans doute des pompes.

— Après quoi, Il s'est levé d'un bond, et a recommencé à se pavaner, d'une façon toujours aussi indécente.»

Nieuwenhuizen, qui n'avait pas cessé de se dandiner, décrivait des cercles, torse bombé et pieds en canard.

«Je ne vois rien d'inconvenant là-dedans, fit le patron.

— C'est trop tard, maintenant. Si tu étais venu quand je t'ai appelé, tu l'aurais constaté par toi-même, et tu ne viendrais pas à Son secours.

— Les choses sont moins simples qu'elles n'en ont l'air. Il a peur de passer à travers la croûte terrestre, je le sais. Et pourtant, tu dis qu'il s'y est enfoncé. C'est paradoxal.

— Ne me parle pas comme à une enfant.»

Nieuwenhuizen était allongé sur le dos, les bras très écartés, les pieds croisés. Il était absorbé dans la contemplation de l'œil humide du soleil. Puis il se retourna sur le ventre, déploya ses bras et ses jambes, et plaqua son oreille contre le sol.

« Il doit y avoir une explication évidente, j'en suis sûr, dit le patron.

— Ma parole ne compte pour rien dans cette maison», lâcha la patronne indignée avant de rejoindre le salon pour finir son café.

Nieuwenhuizen releva la tête et loucha vers la terre accrochée sous son nez. La pression de son oreille sur le sable avait dessiné une petite carte en relief, une montagne au sommet aplati environnée d'éminences et vallonnements en formes de volutes. Il coula un regard entre ses cils. Les cailloux devenaient des rochers empilés au pied de la montagne; puis ses narines déclenchèrent une tempête de sable; une fois retombée, celle-ci révéla un brin d'herbe sèche qui ressemblait à s'y méprendre à une feuille de palmier meurtrie par le vent.

Il glissa la main dans une fente sur le côté et retira un clou de la cartouchière. Il le ficha dans la montagne, juste assez profond pour qu'il tienne tout seul. Allongé ainsi, face contre terre, enfoncer le clou n'était pas chose aisée; de ses bras, il battait l'air, comme une victime en passe de se noyer.

«Tss… Suis-je bête! s'exclama le patron. Il ébauche un plan!»

Il débula de son pas lourd dans le salon.

«J'ai éclairci le mystère, la patronne: il ébauche un plan. Pour la nouvelle maison. Tu te rappelles?

— Grand bien Lui fasse.»

Son café était froid, mais elle en but néanmoins une gorgée pour le plaisir d'échanger un regard entendu avec la grenouille au fond de la tasse.

«Est-ce que je t'ai déjà parlé des clous?

— Des monstres.

— Jusqu'à présent, je pensais qu'il en avait besoin pour la construction elle-même, et voilà qu'il s'en sert pour ébaucher le plan. Ce qui prouve bien qu'avec lui, rien n'est acquis. Il est si astucieux!

— C'est un m'as-tu-vu.»

Elle gagna sa chambre.

Nieuwenhuizen recula de quelques pas et s'assit.

«Je crois que je vais m'y coller», dit le patron.

Il suivit la patronne dans la chambre. Elle était allongée sur le lit, le couvre-pied en chenille remonté jusqu'au menton. Il répéta:

«Je crois que je vais m'y coller.

— Et pourquoi, grand dieu?

— Il a besoin de moi.

— Il se débrouille très bien tout seul. Il t'a dit qu'Il n'avait pas besoin de ton aide. Il t'a congédié.

— Ne sois pas mesquine. Tu as vu comme il bataille. Une deuxième paire de bras fera toute la différence. Il a du mal à demander de l'aide, parce qu'il est fier de son indépendance.

— Je vous imagine déjà, tous les deux, allongés par terre, à vous cogner comme deux barbeaux au bout d'un harpon!»

Malgas enfila sa tenue de travail et se rendit chez son voisin. Il trouva Nieuwenhuizen allongé sur le côté, à l'ombre de la haie. Il semblait dormir, mais comme Malgas se rapprochait, il leva la tête et ouvrit les yeux.

«Père.

— Malgas.

— On est passé au plan, à ce que je vois.

— On s'y emploie.

— Ingénieux, si je puis me permettre.

— Je vous en prie. Merci.

— Les plans, c'est intéressant. Passionnant, même. Je crois que j'ai toujours eu un faible pour les matériaux, j'ai ça dans le sang, ainsi que les emballages, mais en vieillissant, je m'aperçois que la phase de conception me plaît de plus en plus.

— Arrêtez de tourner autour du pot, dit Nieuwen-huizen, qui se redressa et épousseta sa manche. Qu'est-ce que vous voulez?

—Vous donner un coup de main, avec votre permission.»

Nieuwenhuizen paraissait sceptique.

«Je ne sais pas. Je me demande si vous êtes mûr. Je ne veux pas vous brusquer.

— Je suis plus prêt que jamais. Je ne vois pas encore la nouvelle maison, mais vous, si, cela va sans dire. Et je rêve d'apprendre. Mon envie de connaître cette maison est immense. Au besoin, je suis prêt à partir de zéro et à progresser pas à pas. Vous m'enseignerez tout ce que vous savez, et entre-temps, je fournirai les outils, et tout le nécessaire. J'ai pris la liberté d'apporter ce maillet – grâce au caoutchouc, vous n'abîmerez pas les têtes.

— Je ne suis pas sûr...

— Voilà comment je vois les choses: j'ai mon domaine d'expertise, mes «savoir-faire», comme on dit dans le métier; un jour, je serai à même de rendre la moindre attention qui m'aura été accordée en ces temps difficiles. Vous n'avez qu'à crier: le Roi de la quincaillerie, tout un monde de matériaux sous un seul toit.»

Nieuwenhuizen se leva d'un bond. Il glissa l'un de ses doigts osseux dans un œillet de la cartouchière et dit:

«Vous arrivez à point nommé pour me réapprovisionner en munitions. Je n'osais pas réclamer, mais puisque vous le proposez...»

Ils cheminèrent vers le campement, où étaient empilées les boîtes de clous, et Malgas se risqua à marcher à côté de Nieuwenhuizen.

Avec l'aide enthousiaste du patron, le tracé qui découlait du plan progressa à grands pas. Un protocole moins élaboré suffisait dorénavant, et les acrobaties du début de matinée laissèrent donc place à un arpentage plus conventionnel; et alors que plus tôt, on comptait sur le sol autant de marques différentes que de parties du corps, il ne restait plus à présent qu'un seul signe universel, un point final bien replet imprimé d'un coup de talon, que l'élève pouvait identifier sans se tromper.

Malgas réquisitionna poliment la cartouchière et s'occupa de disposer les clous selon la volonté de Nieuwenhuizen. Même s'il supposait que le système de quadrillage trouvait là son accomplissement, il accepta ce partage du travail et ne chercha pas à déchiffrer le plan : il s'appliqua plutôt à enfoncer les clous d'une main experte. L'heure était venue d'explorer les tenants et aboutissants de l'art déprécié du marteau. À mesure qu'il perfectionnait son swing, il réduisait l'effort nécessaire à chaque planté : un seul petit coup préparatoire qui faisait tenir le clou bien droit, puis deux coups violents et résolus, assénés des deux mains, servaient à l'enfoncer, et en guise de conclusion, une salve de petites tapes permettait de s'assurer que la tête dépassait de la hauteur souhaitée (l'épaisseur de son pouce).

Nieuwenhuizen fredonnait un air. C'était la mélodie qui avait accompagné le dressage de sa tente, et ses accents envoûtants convoquaient dans l'esprit de Malgas, comme si c'était hier, le souvenir doux-amer de sa venue. Pourtant, elle l'empêchait aussi de se concentrer, et il fut soulagé quand Nieuwenhuizen se tut pour se concentrer sur le métrage.

Quand Nieuwenhuizen eut estimé que Malgas maîtrisait le point, il ajouta les deux points et l'ellipse à son répertoire, même s'il prit soin de ne pas compliquer les combinaisons. Malgas accepta sans sourciller.

Le monde tournait. Le soleil roulait à grand fracas, comme une balle de cuivre parcourant le bol de plomb du ciel. Ils ne se démontaient pas.

À une heure, madame Malgas ouvrit grand la fenêtre et cria «Déjeuner!», offre déclinée par le rythme étouffé du maillet et du ciel qui résonnait comme un gong fêlé. Elle referma la fenêtre et s'éloigna.

Au fil des heures, Nieuwenhuizen écumait sur la parcelle, disséminant sa ponctuation indélébile. Malgas, sur ses talons, déversait ses clous à foison, volée après volée, rechargeait la cartouchière sans relâche, et pas une fois ne se plaignit.

La nuit finit par tomber. La deuxième boîte de munitions était entamée. Les clous avaient été éparpillés aux quatre coins du terrain. Partout, leurs têtes luisaient comme de minuscules flaques retenant la lie de la lumière. Et pourtant, il restait encore beaucoup à faire.

Nieuwenhuizen alluma la lampe et la garda à la main; elle se balançait périlleusement à chacun de ses pas. Il la tenait si près du champ d'action qu'il fit légèrement roussir les poils du bras de Malgas. Il ne cessait d'exiger: «Plus de lumière!» et suppliait la lune de se lever, en vain. Puis Malgas franchit un pas décisif en branchant une lampe baladeuse qu'il fit passer par la fenêtre de la cuisine (où la patronne pleurait), et ils persévérèrent avec une vigueur nouvelle. À la lumière jetée par le globe encapuchonné, Nieuwenhuizen prenait une stature de géant, qui arpentait des plaines immenses et inhabitées, pendant que Malgas, traînant les pieds derrière lui, abattait le maillet de son maître sur des clous aussi hauts que des mâts.

Enfin, le moment arriva où Malgas plongea la main dans la boîte et n'y trouva plus qu'une pelote de lanières de papier. Il eut la permission d'ouvrir le paquet recouvert de papier kraft qui renfermait les Douze. Il s'apprêtait à les glisser dans la cartouchière, comme les autres, quand Nieuwenhuizen intervint. L'ultime douzaine requérait une attention toute particulière.

Nieuwenhuizen joignit le pouce et l'index gauches et forma une longue-vue qu'il colla contre son œil droit. Il passa en revue l'ensemble du paysage, considérant chacun des clous à la fois comme une entité particulière et comme appartenant à un tout complexe, calculant les distances les plus abstruses et les angles les plus obtus, réfléchissant aux relations parfaitement inattendues qui naissaient entre eux. Puis il saisit la baladeuse et explora l'ombre pailletée, débusquant sous leurs pieds, parmi les constellations brillantes, des recoins où Malgas expédiait les clous.

Affaire conclue.

Une mignonnette de Johnny Walker et un fond de Drambuie, disposés dans la valise, apparurent dans la lumière.

«Une poire pour la soif, expliqua Nieuwenhuizen, mais on va trinquer à cette fichue soirée.»

Il sortit aussi un shaker à cocktail, moitié abat-jour, moitié gant de chirurgien, et en moins de deux, voilà qu'ils se délassaient et sirotaient des cocktails dans des tasses-boîtes de conserve.

«C'est un peu tard pour l'apéritif, encore un peu tôt pour les digestifs, mais qu'importe, santé! À vous, et à la vôtre!»

Dans sa gorge, Malgas sentit une boule se former, causée par la reconnaissance de son hôte; celle-ci était si profondément ressentie, et exprimée avec tant de délicatesse, qu'il dut, pour chasser l'intruse, boire une gorgée du mélange avant de pouvoir formuler une opinion sur l'ensemble de la journée.

Alors Nieuwenhuizen déclara:

«Si cela ne vous ennuie pas, j'aimerais revenir sur le plan tout de suite, tant qu'il est encore frais. Si vous n'êtes pas prêt pour cet exercice grisant, vous devriez peut-être vous boucher les oreilles. Ou mieux: rentrer chez la patronne. Je ne veux pas vous créer de problèmes. Allez-y, emportez votre tasse avec vous.

«Je serais très heureux de pouvoir rester! protesta Malgas. Les plans ne sont pas mon fort, je l'avoue; je suis un fournisseur, par nature, mais il faut un début à tout.

— Je vous reconnais bien là, c'est ce que j'espérais entendre! Etes-vous confortablement assis? Bien... par où commencer? Oui: les coins. Vous voyez ce clou, là, au bord de l'ombre, et les deux derrière, têtes rapprochées? Eh bien ceci, Malgas, délimite l'extrémité nord-est de la salle de jeux.»

Malgas poussa un soupir étonné.

«Cet autre, là-bas, dans le prolongement de la boîte aux lettres, correspond au côté gauche du... comment, déjà... du montant de la porte principale. Non, ma gauche, pas la vôtre.»

L'ombre allongée de l'index de Nieuwenhuizen caressait les têtes lisses des clous, tissant une toile d'intentions diaphanes dans laquelle Malgas se laissait prendre et envelopper. La main de Nieuwenhuizen, qui se mouvait tantôt avec la grâce délicate d'un niveau à bulles, tantôt avec la force brutale d'une lame de bulldozer, aplanissait des terrasses et jetait des terre-pleins, posait des dalles et recouvrait les murs d'enduit. D'un simple effleurement, ses doigts nerveux révélaient dans une dalle de béton un réseau d'air et de lumière par lequel ses paumes parcheminées attiraient une brise marine, chargée de sel et des effluves fruités du verger. Abricot, myrtille, lait de coco. Il savait donner l'apparence de la simplicité.

Il commença par la distribution et les dimensions des pièces, nombreuses et variées. Puis il les prit une par une et donna force détails sur l'emplacement des portes et des fenêtres, des placards encastrés, des prises de courant, des interrupteurs et des installations électriques. Il dressa l'inventaire des équipements, comme le système d'alarme, l'air conditionné et les plafonds en pin noueux. Il s'attarda sur la terrasse panoramique, la salle de jeux et l'abri antiaérien, qui tous, assura-t-il, faisaient partie intégrante du projet.

«Passionnant, dit Malgas en chassant les effets soporifiques de la présentation. Mais je dois reconnaître que je n'arrive pas encore à voir vraiment la maison. Je n'ai pas de raison de mentir, n'est-ce pas?

— Bien sûr que non. Vous trouvez l'exercice difficile parce que le plan n'est pas encore tout à fait achevé. Il reste encore à relier les points entre eux. Cette étape franchie, tout deviendra clair. Pour l'heure, ne perdez pas courage, et entraînez-vous, entraînez-vous sans relâche, comme on dit.

— Je vais essayer. Mais je me sens si gauche…

— J'ai une petite astuce à vous conseiller. Je trouve plus facile de… Mais je ne devrais pas vous dire ça, je vous presse à nouveau. Attendons que vous ayez commencé à voir par vous-même.

— Non, s'il vous plaît, continuez, supplia Malgas, je vous arrêterai si c'est vraiment prématuré.

— Vous me direz stop. Je trouve plus facile de réfléchir de la manière suivante: par couches et niveaux. Combinaison de couleurs, vues en coupe; mais aussi surfaces et polis; et enfin vernis et placages. Imaginez la boîte aux lettres de la nouvelle maison. Ce n'est pas un détail, notez-le bien. La boîte aux lettres. Pas tout à fait une réplique

de la nouvelle maison, ni un modèle réduit trop évident, mais... quelque chose qui l'évoquerait. Un chalet de montagne. Comme ceux que l'on associe aux plus belles villégiatures. Le chaume en moins. Un toit de tôle peint d'un rouge qui tirerait sur la grenadine – non, la fraise – non, ce n'est pas ça. Qui tirerait – voilà qui est mieux – sur le rouge pâle du mercurochrome : un genou écorché après deux ou trois bains, où une cloque commencerait tout juste à se former. La porte brun roux, par exemple – oui cela me plaît bien aussi. La porte brun roux présente le grain rugueux d'une plaie ancienne. Non, non : d'un impétigo. Vous me suivez toujours ? Vous ouvrez la porte, scriiich, vous regardez à l'intérieur, les murs sont galvanisés, hygiéniques, résistants et ne réclament aucun entretien. Dans la boîte, il y a une lettre, un plan incliné de blanc pur, vous l'attrapez, votre main glisse sur les planches en bois de meranti à emboîtement automatique, étanchéifiées pour résister aux intempéries, oui...
— Stop.»

Malgas s'arrêta devant la boîte aux lettres. Il regarda à l'intérieur, par la fenêtre à guillotine. Vide.

Sur le chemin du retour, il entendit la patronne s'interroger : «Où sont-ils passés ? Il a de la famille ? Il ne reçoit jamais de visites. À quoi ça rime, cette boîte aux lettres ? Il reçoit des prospectus ? Des plis marqués Confidentiel ? Des enveloppes en papier kraft et des tubes en carton, des magazines sous cellophane, des déclarations d'impôts, de la pub, des livres gratuits, offres sans obligation d'achat ?»

Revenu des grands espaces, le patron entra dans la maison, exhalant des relents de whisky et de poudre.

Il avait les paumes couvertes d'ampoules qu'il exhiba comme une poignée de médailles.

«Qu'as-tu fait à tes pouces?» voulut savoir la patronne.

Mais il la fit taire en dissertant sur le plan, les mystères de la nouvelle maison, et les techniques spéciales que Nieuwenhuizen lui avait dévoilées pour l'aider à comprendre. Très impressionnant en effet, dut-elle reconnaître. Satisfait, il se dirigea vers la salle de bains d'un pas décidé, ôta son bleu de travail, admira ses plaies et ses bosses dans la glace. Puis il s'installa dans la baignoire, les genoux dépassant de la mousse comme deux îles désertes, tandis que la patronne savonnait le vaste rivage de son dos.

«Je crois que je comprends le plan, dit-elle, et ce palais digne d'un empereur, même si je n'approuve pas. Mais qu'est-ce que c'est que cette histoire de techniques spéciales?

— J'aurais mieux fait de ne rien te dire, mais je vais recommencer, une fois de plus.»

Il plongea l'éponge dans l'eau et la brandit.

« Prends cette éponge, la patronne. Elle est dense, n'est-ce pas? Regarde sa surface, oui, voilà, sa surface. Truffée de trous, de cratères. Oui, de cratères, de bouches conduisant à des tunnels souterrains, des catacombes, des égouts, oui – cela me plaît – des méandres. Vas-y, essore-là, pschiit! Toute cette eau, cette vieille eau – une eau de seconde main pour ainsi dire, voilà!

— Jamais, de ma vie, on ne m'a servi un tel tissu d'âneries. Si seulement tu t'entendais, franchement.

— Tu l'apprécierais mieux si tu y avais laissé des plumes, comme moi.»

Il refit couler de l'eau chaude pour cautériser ses plaies.

Pendant que le patron engloutissait son repas froid, la patronne dit :

«Il fut un temps où tu avais les pieds sur terre. C'est pour ça que je t'ai épousé. C'est pour ça que tu as choisi la quincaillerie.»

Cette réflexion ramena les pensées de Malgas vers Nieuwenhuizen, et il répondit :

«Je pense qu'il y a aussi du quincailler en lui, tu sais, même s'il refuse de l'admettre. Il est habile de ses mains. Et cette histoire de vernis et de placages, ça nous renvoie bien aux matériaux. Non ?»

Une main verse de l'essence sur l'autre. Puis elle allume un briquet orange et la main arrosée s'enflamme. La main brûle ! Alors la main au briquet étouffe le feu avec un chiffon à argenterie. La main est calcinée ! Alors la main qui a étouffé les flammes retire un gant carbonisé. Sous le gant, la chair est rose. Une main parfaite ! Elle se tourne d'un côté, de l'autre, et salue (pour dire bonjour ou au revoir), ses doigts forment un v (signe de victoire, d'approbation, ou simple dérision), pouces levés (lég. excl. de satis.), doigt d'honneur (va te faire...), poing serré (viva !) pour faire voir qu'elle est parfaite.

Le patron s'endormit dans son La-Z-Boy, sous l'œil furibond de la télé. La patronne gagna sa chambre, commença par s'asseoir devant le miroir à trois faces de sa coiffeuse et dit : «Même si je semble petite et menue, et parais m'effacer sous tes yeux, je suis un être de chair et de sang. C'est ainsi, du moins, que je le ressens.»

Son pâle reflet répéta cette réplique en trois exemplaires.

Pourtant, elle y voyait clair : elle était faite de verre. Et sous la cloche de son ventre, dans une atmosphère suffocante, cinglés par des orages électriques et inondés par des précipitations chimiques, ses organes vitaux étaient au supplice.

Au cœur de cette même nuit, quelque part aux alentours de trois heures du matin, comme s'il n'avait pas déjà assez souffert, Malgas se retrouva plongé vivant dans une gigantesque marmite. Nieuwenhuizen s'y trouvait aussi, tout habillé. L'heure était grave. Des rondins de carottes et des mètres cube de pommes de terre coupées en dés tourbillonnaient dans des torrents de bulles et venaient les fouetter. Des épices fortes leur brûlaient la peau du visage et des rondelles d'oignons les étranglaient. Ils se serraient l'un contre l'autre dans le liquide bouillonnant. Un pois de la taille d'un boulet de canon carambola au bord du chaudron et frappa Malgas à l'œil. Celui-ci but la tasse une fois. Deux fois. La troisième fois, il s'agrippa à Nieuwenhuizen et l'entraîna comme grigri dans sa plongée. À présent, c'était chacun pour soi. Nieuwenhuizen attrapa un bouquet garni enveloppé de mousseline et le plaqua contre le visage de Malgas. Bulles, bouillon cube Bisto, Malgas commençait à perdre connaissance. Ses poumons se remplissaient de bouillon, asphyxie, asphyxie, apnée, potiron, faut pas flancher, fondu au marron... Il se réveilla en sueur, agrippé à son oreiller.

Le bouillon lui avait laissé un goût amer, et il dut aller se rincer la bouche à la salle de bains. En chemin, il fit un détour par la fenêtre du séjour pour s'assurer que Nieuwenhuizen n'avait jamais existé. Mais à peine eut-il écarté les rideaux qu'une allumette flamba et que la lampe-tempête s'illumina, soudain éclose.

Sa lampe levée bien haut, oscillant comme un encensoir, Nieuwenhuizen fit le tour du tas de cendres. Au bout de trois révolutions, il se jeta dessus et creusa un emplacement à coups de bottes. Il tira de sa poche un clou enveloppé dans un bandana, le déballa à la lumière, l'embrassa, s'agenouilla et en enfonça la pointe dans le sol. Le clou ne cessait de tomber, et Nieuwenhuizen finit par le caler avec une brindille fourchue en guise de tuteur. Pendant un moment, il resta silencieux, agenouillé dans le ressac gris. Puis il commença à se balancer d'avant en arrière à partir de la taille, solennel. Il prit peu à peu de la vitesse, augmentant son amplitude jusqu'à ce qu'enfin, son front osseux, au point limite de sa flexion avant, rencontrât la tête du clou. Il l'enfonça ainsi dans le sol, en se prosternant. Une fois les cendres retombées, il éteignit la lampe et retourna se coucher.

Le patron reconnut immédiatement le clou secret : c'était celui que Nieuwenhuizen avait recuit dans le feu la nuit où il avait passé sa commande. Bien que surnuméraire, il représentait pourtant la quintessence du clou. Feu et cendres. Qu'est-ce que cela signifiait ? Il se rappelait l'emplacement secret (IIIC) mais restait perplexe, malgré tout. Soudain, la perplexité céda la place à une profusion gênante : sa tête vide fut submergée de possibles – des chaînes mnémoniques se formaient telles des phalanges ajointées ou des passe-partout ; un tissu de mensonges, tricoté à la pointe de clous et de crayons ; arbre généalogique du feu, feuilles de flammes, graines de cendre. Il mit de côté ces articles tirés de la terre et mit au jour une certitude, petite et dure, qu'il plaça sur l'échelle d'intimité entre Nieuwenhuizen et lui : la communion.

Inachevé, le plan restait en plan. Nieuwenhuizen disait qu'il mûrissait.

Malgas passait tout son temps libre à essayer de voir la nouvelle maison, s'évertuant à se rappeler les indications fournies par son voisin, mais elles étaient retournées à l'ambiguïté inutile des rêves.

Une nuit, après avoir été congédié par Nieuwenhuizen, qui s'était retiré à son tour, M. Malgas ressentit le besoin impérieux de poursuivre ses observations, au point de se munir d'une lampe torche et de gagner la parcelle à pas de loup, en robe de chambre et pantoufles.

Le faisceau protégé par sa main placée en bouclier, il examina l'emplacement creusé dans les cendres, et là, crut voir luire la tête du clou secret. Devant ce mystère, clé de la nouvelle maison et de son créateur – il pouvait même le toucher, s'il le voulait – le courage lui manqua et il faillit prendre la fuite. Du calme, Malgas. Le faisceau de sa torche balaya le plan, lentement, et çà et là, de ci, de là, les clous s'illuminèrent, comme si la terre était cousue de menue monnaie.

Il s'enhardit. Il déplaçait le faisceau d'un clou à l'autre, imitant les gestes assurés de Nieuwenhuizen, dans l'espoir de dessiner les contours d'une simple chambre, d'un couloir, d'une alcôve, qui préfigureraient une maison. Les clous lui lançaient des clins d'œil et restaient cois. Il n'arrivait même pas à discerner le moindre fragment du plan cloué au sol.

De plus en plus agité, il abandonna ses velléités clandestines et se mit à arpenter le terrain de long en large, qu'il barbouillait de son doigt lumineux: il passait d'un scintillement à un autre, fouillant les espaces les plus reculés en quête de marques qui auraient pu lui échapper, pour leur faire avouer leur signification. Et malgré l'absence de la nouvelle maison, il se surprit à chuchoter avec véhémence «Chambre... oui! Lit double, modèle géant... oui! Salle de bains privative, cabine de douches... oui! oui!» Lorsque cette tactique échoua à produire des résultats tangibles, il lui sembla que tout deviendrait limpide si seulement il pouvait prendre de la hauteur et voir le plan depuis un point de vue élevé, comme la fourmilière par exemple – non, elle n'existait plus – comme l'arbre, alors – non, non, trop d'épines – comme le toit de sa propre maison! L'incongruité de cette idée, eu égard à l'heure particulièrement tardive, le ramena brutalement à la réalité, et il reprit sans tarder le chemin de son logis.

Depuis l'entrée de sa tente, Nieuwenhuizen le vit repartir, et rit à perdre haleine; Mme Malgas, les larmes aux yeux, assista au retour de son époux depuis la fenêtre du séjour, et se hâta de regagner son lit, où elle fit mine de dormir.

«Modèle géant... jamais! Il faudra me passer sur le corps.»

M. Malgas se tournait et se retournait, dans l'espoir de se souvenir de la disposition des clous et d'en tracer la carte, point par point, mais il eut beau faire, ses marques disparaissaient régulièrement sous des avalanches de ponctuation.

Confiant, Malgas s'entraînait plus dur que jamais. Puis une fin d'après-midi, sa persévérance porta ses fruits. Il quadrillait le terrain depuis une heure, menton baissé sur la poitrine, mains derrière le dos. Devant le feu, où des bûches fendues et des boules de papier journal formaient un bûcher funéraire, Nieuwenhuizen était assis, occupé à éplucher des racines bosselées destinées à un ragoût. Il arborait un sourire tolérant. Soudain, une ampoule électrique s'alluma dans un recoin poussiéreux du cerveau de Malgas, et il comprit pourquoi il n'arrivait pas voir la nouvelle maison: elle était sous terre!

«Quel nigaud d'imaginer que ces clous marquaient les fondations, alors qu'il est clair comme de l'eau de roche (une fois qu'on a compris le truc) qu'ils désignent l'emplacement des tuyaux de cheminées, gouttières, avant-toits, flèches, dômes et lucarnes, pour ne citer que quelques éléments typiques d'un toit. Ce clou, ici, indique clairement une antenne de télévision. Deux pigeons, là – quelle touche adorable – une famille de gargouilles, et voilà une girouette.»

Malgas sentait pointer sous ses semelles les pignons de style Cape Dutch de la maison souterraine. Il ôta ses chaussures. Cela fit l'affaire. Poussé par cette sensibilité accrue, il progressa d'un pas mal assuré le long d'une gouttière, escalada un toit pentu couvert de bardeaux, et s'installa à côté d'une cheminée, des volutes de fumée s'enroulant autour de ses genoux.

Puis il retrouva ses esprits et s'aperçut qu'il se trouvait sur le tas de cendres.

Accroupi non loin, Nieuwenhuizen détaillait en dés ses racines sur un billot, au moyen d'un couperet de cuivre martelé à la main, et lui cria : «Bravo Mal! Vous êtes sur la bonne voie!»

Malgas était embarrassé.

Il rentra chez lui en quête de compassion, mais la patronne jeta un regard réprobateur à ses chaussettes filées, ouvrit le journal d'un geste sec et lui fit la lecture :

«Terrible époque que celle que nous traversons. À chaque coin de rue, la mort est tapie dans l'ombre. Les forces destructrices se déchaînent sur une foule sans méfiance. Collisions de trains, naufrages de *ferries*, minibus échoués dans des fossés, avions qui se crashent au-dessus de banlieues, massacres dans des wagons de deuxième classe, insécurité générale dans les transports publics, fleuves en crue, tremblements de terre dévastateurs, éruptions volcaniques, attentats à la bombe, liquidations d'entreprises, effondrement d'immeubles, et j'en passe. Et comme si la coupe n'était pas assez pleine, un fou campe à notre porte. Pour couronner le tout, son complice réside ici, sous notre toit.

— Ça pourrait être pire.

— Ça pourrait être mieux. Regarde cette bande-dessinée : «*Paf!*», écrit dans une bulle. Parfois, je me demande s'il vaut mieux en rire ou en pleurer. Ici, un chat raconte des blagues en anglais. Là, des canards en costumes-cravate, un chien vêtu en veste de sport tape-à-l'œil, une souris au volant d'une voiture. Et voici le portrait craché de ton comparse ridicule : cet homme qui marche dans le vide (si tu permets) jusqu'à ce qu'on lui en fasse la remarque, et qu'il chute, comme un ange déchu.»

Parmi les ombres bleutées d'un dimanche après-midi, Nieuwenhuizen fit soudain savoir que le plan était arrivé à maturité. La joie qu'en ressentit Malgas fut prématurée et de courte durée. À l'évidence, cette maturité ne marquait pas le début de la construction à proprement parler; elle signifiait plutôt que le plan pouvait à présent être *achevé*, et malheureusement, nul autre que Nieuwenhuizen n'était apte à procéder à cette opération délicate. Il renvoya Malgas, avec pour consigne stricte de se faire oublier, jusqu'à ce que sa présence soit requise lors de l'inauguration officielle.

«Vos intérêts me tiennent à cœur, dit Nieuwenhuizen. Vous êtes un chic type, mais voir de simples fragments du plan ne rime à rien. Pour le découvrir sous son meilleur jour, il faut voir l'ensemble, tout d'un bloc.»

Conscient qu'il avait involontairement réussi une épreuve et échoué à une autre, Malgas balbutia: «Merci, merci beaucoup», et s'en alla.

Cependant, une fois rentré chez lui, il réclama à la patronne un panaché, un bol de cacahuètes salées, et lorsqu'elle fut sortie pour exécuter la commande, il lui chipa son tabouret fétiche installé derrière les voilages.

Elle ne protesta pas.

«De toutes façons, je suis lasse de Ses caprices. Il adore attirer l'attention, comme un autre que je ne nommerai pas.»

M. Malgas venait de s'installer quand Nieuwenhuizen surgit de derrière l'acacia, une bobine de fil à la main. Après un rapide examen, il s'accroupit et attacha l'extrémité du fil à la tête d'un clou, grâce à différents nœuds (Malgas reconnut une demi-clé et deux nœuds de vaches) et les serra très fort pour s'assurer de leur tenue. Malgas estima, à juste titre, qu'il ne s'agissait pas d'un clou ordinaire, et mémorisa son emplacement (ie), mais il n'avait aucun moyen de savoir que c'était le clou originel, le premier à avoir trouvé sa place dans le plan.

Nieuwenhuizen glissa ses index dans le tube de carton autour duquel la ficelle était enroulée, et la dévida d'un coup de poignet, les bras en équerre. Il les leva et les abaissa plusieurs fois, comme pour tester un distributeur de ficelle breveté. Le gadget semblait fonctionner, car Nieuwenhuizen progressait avec confiance, à reculons, déroulant le cordeau au fur et à mesure, jusqu'au moment où il buta contre le mur de Malgas. Il choisit un autre clou autour duquel il fit passer une boucle de fil, et se livra à une manœuvre compliquée : contre toute attente, il en résulta un nœud coulant, qu'il serra fermement.

Le poste d'observation de Malgas avait beau être confortable, il n'en limitait pas moins son champ de vision, et le patron s'aperçut qu'il ne pouvait déterminer dans quelle case du quadrillage se trouvait ce deuxième clou. Qu'importe, après tout. La ligne qui reliait le point A au point B (masqué), ainsi que Malgas les baptisa spontanément, était si belle, si vraie, qu'il la couva d'un regard énamouré. Sur une telle ligne on rêvait, sans même y penser, de bâtir quelque noble édifice.

Ce désir tendait si fort le fil qu'il en vibrait de possibles, et Malgas craignait qu'il ne cède.

Entre-temps, Nieuwenhuizen avait trotté jusqu'à la haie, en quête d'un autre clou. À plat ventre, il rampa entre les tiges ligneuses, se débattit au milieu du taillis tumultueux de brindilles débordant d'échardes et de poussière, resurgit, bottes les premières, se releva, s'ébroua comme un épagneul et repartit en agitant le fil derrière lui.

La technique était maladroite, se dit M. Malgas, qui sentait s'évanouir son engouement initial, mais l'intention ne laissait aucun doute : cette nouvelle ligne, de B (masq.) à C, figurait un mur. Certes un peu trop près du sien pour être commode, mais Dieu qu'elle était belle! Sans relâche, Nieuwenhuizen se baissait, bouclait le fil et le nouait, et M. Malgas, qui apercevait entre les lignes des colonnes et des entablements majestueux, marmonna «oui! oui!» et frappa du poing dans sa main.

Mais alors, sans crier gare, Nieuwenhuizen scinda la magnifique ligne qui reliait A à B (masq.) comme si elle ne possédait pas plus de consistance qu'une ombre. Les éléments de la nouvelle maison que Malgas édifiait, tous soigneusement répertoriés par ordre alphabétique, brisèrent leurs entraves en rendant un bruit sec et plaintif (oompah), puis partirent doucement à la dérive.

«Sers-toi de ton imagination, Malgas! se sermonna-t-il, ne sois pas si terre-à-terre, bon sang!»

Nieuwenhuizen se déplaçait de clou en clou, se baissait et bouclait. De temps en temps, quand il se redressait pour observer le plan en devenir, M. Malgas en profitait pour l'étudier à son tour, juché sur son tabouret, l'œil sous la cantonnière, dans l'espoir d'y voir plus clair depuis cette altitude. Rien de ce qui se profilait, ni au-dessus du sol, ni dans ses profondeurs, ne méritait l'appellation de nouvelle maison. Un semblant de chambre – rectangle aux dimensions adéquates cerné de fil – surgissait parfois, mais Nieuwenhuizen avait tôt fait d'y apposer une croix, ou de le défigurer d'une diagonale. À force d'imagination, un couloir devenait praticable, puis se retrouvait biffé quelques instants plus tard par un zigzag ivre. Un coin incontournable et un angle droit parfait survécurent pendant plus d'une heure. M. Malgas eut la conviction qu'il s'agissait de l'extrémité de la salle de jeux évoquée naguère par Nieuwenhuizen. Mais, sans sourciller, celui-ci la prolongea par une vilaine balafre qui traversa le plan tout entier et en disloqua tous les éléments.

«La patronne! Cacahuètes!»

Tandis que le fil faisait proliférer sa géométrie, une troublante éventualité surgit: chaque nouveau mouvement de Nieuwenhuizen rendait possible une certaine portion de la maison. M. Malgas battait des mains et laissait déborder sa gratitude. Enfin, une clé de voûte! Grâce à celle-ci, il imaginait, mettons une salle de bains, et puis forcément une porte, et par conséquent une autre chambre… Mais tôt ou tard, cette maison qui s'élevait posément, mur après mur, s'écroulait quand Nieuwenhuizen revenait à la charge, ses grosses bottes aux pieds, et raturait le plan en dévidant sa ficelle.

M. Malgas fut soulagé quand Nieuwenhuizen s'arrêta. Il résolut de chasser de son esprit toute idée de plan tant qu'il ne serait pas à nouveau convié à participer. Observer la partie depuis le banc de touche lui procurait trop d'angoisse.

La bobine de fil resta intacte au bord du plan inachevé, enveloppée dans un sac plastique, et lestée par des cailloux.

«De haut en bas, de bas en haut, toute la sainte journée, toujours à s'activer», raconta la patronne au patron le lendemain soir, à son retour du travail.

«Et que je te boucle, et que je te noue, maille à l'endroit, maille à l'envers, je tricote le tricotin et je lâche tout le bazar.»

Elle s'apprêtait à reproduire la procédure à l'aide

d'une pelote de laine et de boîtes de conserve sorties du placard, mais il répondit d'un ton bourru :

«Ça va, je vois le tableau. Mais dis-moi : est-ce que son plan a un sens ? Tu peux voir la nouvelle maison ? Elle prend forme ?

— Ne me pose pas de question. Je ne m'intéresse ni à Lui ni à Sa maison. Il m'est juste arrivé de regarder dans Sa direction une ou deux fois en préparant le thé.»

Une poursuite en voiture suivie d'un échange de tirs et une explosion à faire trembler la maison de Malgas jusqu'aux fondations permit à Nieuwenhuizen de se soustraire à ces regards inquisiteurs et lui offrit un répit bienvenu. Il sortit de son emballage le reste de la bobine de fil, le déroula et jeta le tube de carton dans le feu, au bord du tas de cendres. Il lui avait fallu trois jours de labeur harassant pour achever le plan. Tous ces gestes, en avant, en arrière, et même de côté si nécessaire, avaient recouvert de cendres le clou secret. Il se pencha au-dessus du cratère creusé dans les cendres, souffla sur la tête du clou pour la dégager, y déposa un peu de salive et l'astiqua du bout de l'index. Puis il fit passer autour le reste de fil, tira fort et forma un nœud au bout. Il allait parfaitement.

Peu après, il jeta un gravier contre la vitre du séjour pour attirer l'attention de Malgas; ledit Malgas arriva dans le jardin en soufflant, et ils s'entretinrent à travers les rayons de la roue de chariot.

Le plan était terminé! Malgas se réjouissait d'avance, jusqu'au moment où il apprit que l'inauguration officielle était prévue pour le lendemain.

«Félicitations! s'exclama-t-il. Vraiment, je suis sincère. Mais la cérémonie ne peut-elle pas attendre ce week-end ? Il y en a qui travaillent, ici.

— Hors de question. C'est maintenant ou jamais.
Vous allez devoir prendre votre journée.»

Malgas réfléchissait à toute vitesse.

«La patronne va me tuer si je ne vais pas à la quincaillerie.

— Là-bas, ici, il faut choisir.

— De toute façon, je ne suis pas prêt. Je ne le com-
prendrai pas, votre plan.

— Vous n'avez aucune raison d'avoir peur», répondit
Nieuwenhuizen qui lisait les pensées de Malgas dans le
livre ouvert de son visage.

Tandis que le patron expliquait pourquoi il devait
prendre une journée de congé, la patronne saisit machi-
nalement sa chaussure de porcelaine, celle avec la boucle
dorée et le talon bobine. D'un souffle, elle déposa de
la buée sur la boucle et l'astiqua avec la manche de son
gilet. Elle s'apprêtait à la remettre à sa place, sur la cheminée, quand soudain, sans crier gare, le soulier hoqueta et
recracha de la poussière sur les jointures de ses mains.

«C'est un présage, dit-elle. Le premier depuis des
lustres.

— Et qu'est-ce que ça dit?

— Que tu vas trop loin avec cette histoire de nouvelle
maison, et qu'un jour ou l'autre, tu t'en mordras les
doigts.»

Le lendemain matin, Nieuwenhuizen attendait Malgas
devant son portail. Le patron fut surpris d'y trouver son
voisin, car celui-ci s'aventurait rarement, sinon jamais,
hors les frontières de son territoire. Avant d'avoir pu faire
la moindre remarque à ce sujet («Surprise, surprise!»
allait-il dire), Nieuwenhuizen le prit par la main et lui

donna ses instructions («Fermez les yeux et *talser vous*»). La perspective inédite de faire l'école buissonnière donnait des frissons à Malgas, et l'aventure à venir le démangeait. Il proposa son propre mouchoir monogrammé (M et H entremêlés) en guise de bandeau, par précaution, mais celui-ci fut poliment refusé. Alors, paupières serrées jusqu'à s'en faire pleurer, il se laissa guider vers la parcelle, et rencontra quelques mésaventures en chemin : il buta contre le trottoir et se tordit la cheville, mais à peine – non, pas de bobo, merci –, la frotta énergiquement, fut tenté d'ouvrir un œil, surmonta la tentation, se cogna l'orteil contre un affleurement de pierre (qu'il n'était nul besoin de mentionner plus tôt, et encore moins de vouer aux gémonies) enjamba les fils au pas de l'oie, se sentit moins bête qu'il aurait pu parce que tout ça, c'était pour la bonne cause, et se retrouva planté comme une effigie au beau milieu du plan.

Malgré les déboires de la nuit précédente, une lueur d'espoir s'était rallumée dans sa poitrine pendant son sommeil. À son réveil, quelque chose lui avait dit que le plan serait d'une clarté biblique et lui révélerait la nouvelle maison dans toute sa splendeur. Les pas de son guide s'éloignaient, et il attendait à présent avec impatience d'autres instructions, les narines pénétrées par les vapeurs d'encens qu'exhalait le feu du petit déjeuner, les paupières brûlées par le soleil du matin, et sa petite espérance s'embrasa, attisée par un désir ardent de révélation.

De loin, Nieuwenhuizen lui ordonna de voir.

Il ouvrit les yeux.

En un instant, la flamme de l'espoir fut soufflée. Malgas se trouvait au milieu d'une toile immense et déchirée, criblée de trous, de nœuds et de fils enchevêtrés, de trous plus que de fil en vérité, mais néanmoins, parfaitement indéchiffrable. Le nom de plan conférait à cette chose une apparence de but et d'ordre qu'à l'évidence elle ne méritait pas. C'était un chaos innommable. L'ensemble trahissait une ivresse et un désordre si implacables que Malgas en eut les larmes aux yeux.

Là-bas, aux franges de son champ de vision, Nieuwenhuizen l'invitait à l'exploration.

Malgas se souvint de la toile que Nieuwenhuizen avait tissée à l'aide d'une matière transparente, aussi douce que de la soie (ou était-ce du satin?), aussi sucrée que de la barbe à papa. Il tenta de transformer le macramé grossier disséminé autour de lui en cette substance de rêve, mais l'ouvrage restait obstinément le même. Alors il essaya de convoquer le souvenir du quadrillage – chiffres romains en abscisse, majuscules en ordonnée, A, I, E, A, E, E, E – mais ces gribouillis primitifs l'empêchaient de poursuivre ses hachurages. Il se rappela une astuce utile : vernis et placages. Vns et plcgs. Balivernes! Mal à l'aise, il basculait le poids de son corps d'un pied sur l'autre, et la croûte friable de la terre se brisa en carreaux de mosaïque et lettres de Scrabble. «Maison», murmura-t-il comme en prière, mais le mot lui-même vola en éclats contre son palais, comme un jeu de mikados.

Les applaudissements de Nieuwenhuizen résonnèrent aux oreilles de Malgas comme les bruits de pas d'un suspect en fuite.

Avec difficulté, Malgas embrassa le plan du regard, une fois encore, désespérant d'y trouver un sens, souhaitant de tout son être qu'un fragment de la maison surgisse du fatras de clous et de ficelle. Ses yeux se mirent à le brûler. Il défit une maille, suivit le tracé autour d'un carré biscornu, le perdit de vue dans une jambe de chien.

Il en saisit un autre, en suivit les méandres jusqu'à ce qu'il disparaisse dans un nœud de la taille d'un poing d'enfant. Les bords de son champ de vision se désagrégèrent. Malgas accueillit cette brutale illusion comme une perception extra-sensorielle, et quand l'ensemble de la toile miteuse sembla dériver et se dilater sous l'effet d'un courant tumultueux, il fut soulagé à l'idée que le plan commençait à lui transmettre sa signification.

Arrimé à cette intuition, il fit un pas de côté pour sortir du carré dans lequel il s'était égaré, et pénétrer dans un triangle adjacent.

Nieuwenhuizen rayonnait, mais Malgas ne s'en rendit pas compte. Il enjamba d'un pas hardi l'hypoténuse du triangle pour se retrouver dans un losange. Le visage de Nieuwenhuizen se renfrogna. Malgas traversa le losange en trois longues enjambées, prenant de la vitesse, et sauta à pieds joints dans un rectangle bancal. Le talon de sa chaussure se prit dans le fil de démarcation, qui se mit à vibrer ; Malgas tourna à droite, déboucha dans un passage découpé par d'innombrables lignes, et l'emprunta en sautillant de case en case, comme à la marelle.

Inutile de préciser ce qu'il aurait fait ensuite : les cris de Nieuwenhuizen l'arrêtèrent net, dans un petit parallélogramme, en équilibre sur son pied gauche, le pied droit en l'air, statufié dans la position d'un homme sautant à cloche-pied.

Nieuwenhuizen entra en action. Il bondit dans le plan et caracola de figure en figure. Tourna à gauche, à droite, fit demi-tour, marcha soudain au pas, détala, avança en tournant sur lui-même, et arrivé devant Malgas, le saisit par les épaules en criant :

« Mais bon sang, savez-vous où vous êtes ? En avez-vous la moindre idée ?

— Euh…»

Malgas reposa son pied droit et jeta des regards égarés autour de lui.

«En vio? risqua-t-il, découragé.

— En Ciseau?

— vi-o»

Malgas montra six doigts. Un fol instant, il crut avoir trouvé la bonne réponse.

«Vous savez, le quadrillage.

«Oubliez ce foutu quadrillage! Ça fait belle lurette qu'il n'est plus d'actualité. Concentrez-vous sur le plan et dites-moi où vous êtes.»

Malgas se mordit les joues.

Nieuwenhuizen le secoua d'avant en arrière, en sifflant:

«Ouvrez vos esgourdes: je vais vous le dire, où vous êtes. Au bord du désastre. Pigé? Un pas de plus – un seul – et vous connaissiez une fin atroce, au fond d'une fosse infestée de crapauds.»

Le goût du sang envahit la bouche de Malgas. Des larmes jaillirent de ses yeux.

«Allons, allons, se radoucit Nieuwenhuizen, allons.»

Il prit doucement Malgas par le bras et le fit tourner sur lui-même.

«Allons. Que voyez-vous, à présent? Prenez votre temps.

— Je n'y arrive pas, dit Malgas, d'une voix étranglée. Nous les Malgas, n'avons jamais été doués pour ce genre de choses.

— Ce qu'il vous faut, c'est une visite guidée, dit Nieuwenhuizen. C'est dommage, j'avais placé de grands espoirs en vous, naguère, mais on n'y peut rien. Attendez ici et ouvrez grand les yeux. Et les oreilles.»

Il bondit en arrière et agita les bras : «Terrasse panoramique.» À gauche : «Balustrade». À droite : «Porte coulissante» ; il enjamba un fil et désigna le sol : «Escalier en colimaçon. » Il descendit et tourna à droite : «Couloir, rez-de-chaussée». Il avança de cinq pas et tendit le bras gauche : «Chambre principale.» Il tendit le bras droit : «Arsenal». Il avança jusque-là et traversa trois triangles : «Rez-de-chaussée. Aile ouest.» Il tourna sur lui-même. «Cave. Abri antiaérien.»

Entre-temps, Malgas avait pris racine. Mais une envie impérieuse de participer le poussa à arracher au sol un pied pesant, enjamber d'un pas prudent la ligne la plus proche, et annoncer d'un ton émouvant : «Chambre d'ami».

Nieuwenhuizen entra dans une colère noire. Furieux, il s'élança sur-le-champ, tourna à gauche, à droite, et encore à gauche, jeta ses bras et les rattrapa, décrivit des cercles et des carrés, monta à l'étage, tourna à gauche, gravit d'autres escaliers, tourna à droite, traversa un palier comme une flèche, bondit, et cria dans l'oreille de Malgas : «Espèce de macaque stupide ! Comment êtes-vous arrivé ici ? Depuis quand savez-vous traverser les murs ? Ouste ! Dehors !»

Malgas prit ses jambes à son cou. Nieuwenhuizen trottait à ses trousses, le poussant au creux des reins, en hurlant :

«Vous ne servez à rien, bouffon bigleux ! Boule puante ! Vous ne verrez jamais la nouvelle maison. Sortez de mon plan ! Du balai ! Du balai !»

M. Malgas déboucha dans la rue sans regarder ni à gauche, ni à droite, ni encore à gauche. Nieuwenhuizen arracha la boîte aux lettres du poteau et la jeta sur les talons du fuyard.

«Vous êtes condamné à vivre ici. Vous n'êtes pas fait pour la nouvelle maison. Je ne sais même pas pourquoi je m'embête.»

La boîte aux lettres se fracassa contre le trottoir. Le patron rentra chez lui au pas de course, sanglotant de douleur et de frustration.

Plus tard, des heures durant, Nieuwenhuizen marcha de long en large, de bas en haut, de pièce en pièce, de caractéristique en caractéristique, les nommant pour lui-même d'une voix tremblante: «Armoire à linge... radiogramme... bar... Babiole de bakélite... atelier... barricade, couchettes de train, cave à vin, four à hauteur, lave-vaisselle, plan de travail, placage de polyester ciré, alarme, motifs floraux, dallage irrégulier, espace de détente extérieur, fossé, rocaille, nain de jardin, piscine en haricot, barbecue encastré, projecteurs halogènes, auvent pour voiture, double... appartement du personnel, porte tambour, chambre principale, loupe d'érable, omble du Pacifique, salle de bains attenante, poste de commande... cave à liqueurs... poignées de porte...»

Eperdu, le patron le regardait faire. La patronne, à l'évidence encore sous le choc de sa rencontre avec le soulier de porcelaine incontinent, récurait du bric-à-brac dans l'évier de la cuisine.

Elle lui asséna sans ménagement:

«C'est bien fait pour toi.

— Non.

— Tu Lui cours après, la langue pendante; il n'y a pas de quoi s'étonner qu'Il te traite comme un chien. Maintenant arrête de parler du nez et va travailler.»

Nieuwenhuizen arriva enfin à destination: «Hall d'entrée... étagère... variateur de lumière... porte principale... œilleton... paillasson...»

Il s'essuya les pieds, entra d'un pas chancelant dans sa tente et en remonta la fermeture éclair.

Zzzzzzzzz.

On ne le reverrait pas en personne avant plusieurs semaines.

M. Malgas, le pénitent, imagina qu'il possédait les jambes osseuses et les grosses bottes de Nieuwenhuizen, et pourvu de ces jambes-là, avança d'un pas ample et grinçant, et rebondit sur ses orteils. Il entendait craquer les os secs de Nieuwenhuizen. Imaginant qu'il possédait l'index épineux de son voisin, il loucha dessus et murmura : «Fauteuil Gomma-gomma, La-Z-Boy, fauteuil Gomma-Gomma... vitrine... canapé Gomma-Gomma... appui-tête!»

Quand il entreprit de citer toutes ces babioles, d'une manière qui semblait singer les inventaires dont sa femme avait le secret, cette dernière perdit son sang-froid :

«Pour l'amour de Dieu, arrête ça! C'est insupportable. Si je ferme les yeux, je croirais entendre l'Autre, comme s'Il était là, avec nous. Si tu ne comptes pas aller travailler aujourd'hui, pourquoi ne pas te rendre utile, à la maison? L'endroit tombe en ruine. Nettoie la piscine. Tonds la pelouse. Désherbe.»

De son pas grinçant, M. Malgas gagna l'arrière de la maison, tripotant les manches rouillés de ses outils de jardin délaissés, et plus il essayait d'imiter Nieuwenhuizen, plus son absence se faisait cuisante, et plus il devait souffrir de cette perte.

Pauvre vieux Malgas.

133

*

Pas la moindre trace de vie au campement. Il y régnait un tel calme, jour après jour, que Malgas finit par soupçonner Nieuwenhuizen de s'être enfui pour de bon, à la faveur de la nuit. La patronne ne lui témoignait aucune compassion. «Qu'est-ce qu'Il mange? Est-ce qu'Il conserve dans le sel des oiseaux chanteurs et des chiens d'appartement? Est-ce qu'Il fait une espèce de grève de la faim? Comment est-ce qu'Il se débarrasse de ses excréments nocturnes? Cela représente-t-il un risque pour la santé? Est-ce qu'Il procède à ses ablutions dans un Tupperware? Tu imagines comme ça doit schlinguer, maintenant, dans cet espace confiné? Quand est-ce que tu L'as vu pour la dernière fois? Hier? Avant-hier? Comment sais-tu qu'Il est encore là-dedans? Est-ce qu'Il répond quand tu l'appelles? Et s'Il était parti? Voilà.

— Jamais il n'aurait abandonné le plan, insistait le patron. Ce n'est pas son genre.»

Mais en fin de compte, il fut obligé de mener l'enquête – et ce fut une torture. Ses genoux tremblaient tandis qu'il longeait furtivement l'ombre de la haie, détournant les yeux du plan, les paumes renflées de ses mains plaquées sur ses oreilles. Il fit un rapide tour du campement et de ses alentours. Les cendres avaient beau être froides, et sèches en surface, aucun gadget ne manquait à l'appel, indiquant que le campement était toujours habité; encouragé par cette découverte, Malgas s'approcha de la tente à pas de loup, et colla son oreille à la toile. Ha! Il entendait le frémissement musical de la respiration de Nieuwenhuizen, inspiration, expiration, encore et encore, comme une cuillère raclant le fond d'un pot.

Il reprit le chemin de la maison pour annoncer la nouvelle, mais ne dépassa pas le caniveau, où il tomba sur la boîte aux lettres. Quel parfait symbole de son humiliation... et pourtant, il s'attrista de la voir échouée là, toute éraflée, à ses pieds. Il la ramassa avec tendresse, lui murmura des paroles réconfortantes, et la replaça en équilibre sur son poteau.

Ce petit geste constructif lui mit du baume au cœur. Il jeta un regard plein d'appréhension vers le plan; il était un peu défraîchi. Il s'approcha. Son cœur se remit à battre la chamade. Partout se lisait l'abandon: le fil s'effilochait et jaunissait, un clou ou deux étaient retombés; de minuscules dunes de sable et de cendre s'étaient enroulées autour des nœuds. Malgré les ravages des vents et du gel rigoureux, de mauvaises herbes couleur poireau germaient çà et là.

Il s'accroupit et fit tourner un morceau de fil plein de sable entre le pouce et l'index. Il prit conscience de la respiration de Nieuwenhuizen, qui s'élevait et retombait comme une marée à l'arrière-plan, et ce bruit lui donna la chair de poule. Il fut submergé par une sensation salée, celle de la ténuité du moment, qui l'emporta dans son ressac et lui fit perdre pied, puis s'évanouit, abandonnant dans son sillage cette conclusion troublante: «Moi, Malgas, je tiens dans mes mains la nouvelle maison. En l'absence de Père, temporairement indisposé, ou peut-être définitivement, nous l'ignorons – moi, Malgas, suis le gardien de ce plan qui, sans mon secours, serait voué à la ruine. Ce projet déroutant, mais aussi séduisant à sa façon, exécuté avec foi et rigueur dans des circonstances difficiles, s'évanouirait. Les clous se mettraient à rouiller. La ficelle, subtilisée peu à peu, servirait à nouer des paquets, trousser des rôtis, faire voler des cerfs-volants et accomplir ces millions de choses, certaines indispensables, d'autres triviales auxquelles elle est utile. Le chantier retournerait au veld fertile.

«Père nous a tourné le dos, semble-t-il. Mais si son cœur, qui est grand, fort, et tendre en son centre, entretenait une étincelle d'espoir, comme le mien autrefois, même dans ses tréfonds les plus obscurs? Comme le mien à présent! Si Père resurgissait après l'exil qu'il s'est imposé – en ai-je été la seule et unique cause? J'espère que non – frais et dispos, prêt à transformer cette étincelle en fanal pour éclairer cette voie vers l'avenir, que je vois s'ouvrir devant moi à présent, non, elle a à nouveau disparu – s'il resurgissait donc, disais-je, et trouvait le plan en ruines?»

Plutôt ému par sa grandiloquence, M. Malgas s'approcha de la tente d'un pas mal assuré, et appela:

«Papa! Papa!

— Zzzzzzzzzzz.»

Quel rigolo! Nieuwenhuizen dut se concentrer sur l'image de sa dépouille mortelle pourrissant dans les entrailles de la terre pour ne pas rire.

M. Malgas retourna au plan. D'une certaine façon, il lui paraissait moins chaotique qu'avant.

Une voix qu'il ne reconnut pas dit distinctement: «Malgas.»

«Il n'y a pas que la quincaillerie dans la vie, répondit-il. Les matériaux sont importants, je ne le nie pas, ils m'ont beaucoup apporté. Les outils également. L'emballage est une forme d'art, les roues doivent tourner, c'est un fait. Mais il est certain qu'il faut aussi bâtir de ses propres mains, selon ses désirs les plus secrets, et qu'on vous voie bâtir. Si vous voulez tout savoir, j'ai déjà tâté un peu de la construction en mon temps. Faire soi-même. Faire voir ce qu'on a bâti.»

Il déboutonna sa chemise, révélant le Roi de la Quincaillerie armé de son clou et de son marteau. Puis il écarquilla les yeux aussi grands que possible, s'avança d'un pas résolu vers le milieu du plan et choisit comme zone de test un triangle particulièrement sale. Il cracha dans son mouchoir et essuya la ficelle. Il nettoya un trio de clous et resserra quelques nœuds. L'amélioration était spectaculaire. Aussi retourna-t-il au campement, rinça son mouchoir dans le baril d'eau stagnante placé sous l'arbre, l'essora et entreprit de nettoyer la totalité du plan.

Le lendemain, M. Malgas revint équipé. Il apportait un pot de graisse à essieux pour lubrifier les tiges des clous et les protéger de la rouille, du Silvo et un chiffon doux pour astiquer les têtes. La tâche n'avait rien d'aisé : il devait sortir chaque clou de sa niche, l'enduire et le remettre en place sans défaire aucun nœud ni perdre la moindre maille. Et comme si cette besogne n'était pas assez pénible, à peine les clous avaient-ils été ôtés que les plaies cherchaient à se guérir. Le graissage prit trois jours.

Ensuite, il s'attaqua à la ficelle, massant les longueurs à l'huile de lin non raffinée et traitant les nœuds avec du dégras et de la cire d'abeille. Au cours de cette opération, de nombreuses petites tâches s'imposèrent, et chacune prit sa place dans le projet d'ensemble, au point de constituer la routine des journées de Malgas. Certaines, comme balayer entre les lignes, faisaient l'objet d'une attention quotidienne. D'autres, comme occire de jeunes herbes folles en les écrasant entre le pouce et l'index, n'étaient accomplies qu'au besoin.

Trois jours durant, matin et soir, il apporta de la nourriture à Nieuwenhuizen et la laissa devant le rabat de la tente, mais il la retrouvait intacte.

«Il a abandonné la partie, disait la patronne, et c'est la seule décision sensée qu'Il ait prise depuis Son arrivée. Pourquoi tu t'inquiètes?

— C'est la moindre des choses que je puisse faire. Il se néglige, et la nouvelle maison avec, tout ça par ma faute. Si seulement j'avais été capable de la voir – il ne me demandait pas grand-chose, à bien y réfléchir – nous aurions déjà commencé la construction il y a belle lurette. Peut-être même qu'on aurait déjà fini. Je suis seul responsable. Je suis un frein; le fait qu'il ne commence pas sans moi montre bien à quel point il est prévenant.

— Il t'attend parce qu'Il sait qu'il peut compter sur toi pour te charger de la sale besogne.

— Mais qu'est-ce qui te prend? Au lieu de tout critiquer, tu pourrais te rendre utile. Viens donc voir le plan. Avec ta fibre artistique, tu vas le comprendre en moins de deux.

— Jamais! Imagine qu'Il rôde dans les parages et que je tombe nez à nez avec Lui?»

La patronne avait beau argumenter, M. Malgas refusait de baisser les bras. L'attitude dédaigneuse de sa femme le poussait plus que jamais à s'occuper du plan jusqu'à ce que Nieuwenhuizen en ait à nouveau besoin. À mesure que les jours s'étiraient pour devenir des semaines, il amenda ses charges quotidiennes pour établir un programme satisfaisant et efficace. Sitôt finie sa journée à la quincaillerie, il passait son bleu de travail et gagnait la porte d'à côté. Au cas peu probable où Nieuwenhuizen aurait repris conscience, il lançait une salutation en approchant du campement. En l'absence de réponse, et il n'y en avait jamais, il dressait l'oreille pour s'assurer que Nieuwenhuizen se trouvait toujours dans la tente et respirait bien. Ce petit rite superstitieux ne manquait jamais de le rasséréner. Alors seulement il sortait son kit d'entretien, rangé dans un carton sous la haie, et s'attelait aux diverses tâches programmées pour la journée. Il revenait à temps pour dîner en compagnie de la patronne et regarder le journal de vingt heures, avec un intérêt particulier pour les reportages sur les émeutes.

Au début, M. Malgas trouva la présence invisible de Nieuwenhuizen inhibante. Sa respiration stertoreuse lui rappelait sans cesse l'enfermement de ce dernier et sa propre liberté, et suggérait un rapport de causalité déplorable entre les deux. Mais il trouva le moyen de tirer parti de cette conscience bruissante, et bientôt, il se sentit libre de savourer pleinement les plaisirs du nettoyage. Ce travail était prenant. Il fallait inventer de nouvelles techniques pour satisfaire les besoins sans précédent du plan, élaborer de nouveaux rythmes pour minimiser les efforts et optimiser les effets. Ce type de préoccupations lui tenait à cœur. Entre ses mains bienfaisantes, les lignes redevenaient souples et belles, et les clous retrouvaient leur brillance. De plus, il s'aperçut que ces soins ravivaient sa foi en la sphère des matériaux dans son ensemble, et il se remit à apprécier son travail à la quincaillerie pour la première fois depuis des mois.

La patronne remarqua ce changement, et s'en réjouit à son tour.

Ainsi, le foyer des Malgas retrouva un semblant de normalité. Mais celui-ci fut de courte durée.

Après plusieurs semaines, le dévouement obstiné de Malgas eut des conséquences inattendues. Un soir, alors qu'il appliquait une dose d'huile de gaulthérie pour la faire pénétrer dans un nœud fibreux non loin du cœur du plan, il remarqua soudain un parpaing posé par terre, à proximité. Il le regarda avec surprise, naturellement, après quoi le bloc s'évapora sans laisser de trace.

Combien de fois, dans sa quête impitoyable de la nouvelle maison – d'abord sous la tutelle de Nieuwenhuizen, puis seul – avait-il brûlé de découvrir une telle clé de voûte ? Combien de fois avait-il été tracassé par son absence ? Et voilà qu'à présent, alors qu'elle apparaissait enfin, elle se dérobait ! Ça doit être une blague, se dit-il, on me fait marcher. Mais aucune preuve ne venait étayer cette hypothèse. Aucun miroir en vue, aucun micro caché, aucun mégot de cigarette encore incandescent. Sur ce terrain soigneusement balayé, Malgas pouvait justifier la moindre trace, empreinte de pas, marque de gouge ou égratignure éloquente. Progressant prudemment vers le lieu de l'apparition, ou plutôt de la disparition – car c'est ainsi qu'il voyait les choses –, il se mit à quatre pattes, et scruta le sol avec attention, mais le parpaing lui-même n'y avait laissé aucune marque. Il dut admettre qu'il ne s'agissait que du fruit de son imagination, un effet secondaire du stress et du surmenage. N'occupait-il pas deux emplois ? Il ne souffla mot de tout cela à la patronne.

Le soir suivant ne réserva aucune surprise. Mais le surlendemain, un samedi, Malgas fut obligé de passer toute l'après-midi à s'occuper du plan. Au coucher du soleil, il donnait un coup de balai quand une balustrade fantomatique apparut, qui ne dépendait que d'elle-même, suspendue à environ cinq mètres du sol.

Un homme moins déterminé aurait pris ses jambes à son cou, mais Malgas ne bougea pas. Il eut même la présence d'esprit de ne pas affronter directement l'apparition. Il perçut le danger : il se vit changé en pierre. Il maintint la cadence régulière de son balayage et observa la balustrade flottante du coin de l'œil. Shimmy chatoyant, elle diffusait un halo de lumière. Elle se dissipa, et s'apprêtait à disparaître complètement, quand le cœur de Malgas s'emballa : elle se remit à luire, avec une intensité nouvelle, et sembla se stabiliser et se solidifier quelque peu. Elle se posa, excréta une couche de lino écarlate, exsuda de la cire. Puis elle donna naissance à un escalier : chaque contremarche se condensait en une vapeur incandescente et basculait au ralenti depuis le bord du giron pour se mettre en place avec langueur. Les rampes du grand escalier s'infléchissaient gracieusement, se déroulaient comme des tiges, descendaient lentement mais sûrement vers le sol. Une lumière jaune suinta, formant une flaque qui rejeta de ses profondeurs sirupeuses cinq lattes de pin d'Oregon; celles-ci se mirent à flotter juste au-dessus de la surface. Elles se rapprochèrent. Malgas sentit un parfum de cire et de sciure. Les lattes s'insinuèrent sous les fibres du balai, qui accélérait la cadence. Les fibres donnaient la chasse au plancher, et effrayaient les nuages de poussière parfumés au citron qui s'échappaient des interstices. Ces particules tournoyaient gaiement dans l'air rosé, puis se muaient, phosphorescentes, en étoiles dorées et pointues, qui se redéposaient doucement, comme passées au tamis, en enveloppant Malgas.

Celui-ci expira un grand coup. Lâchant son balai, il fit s'évaporer l'escalier dans une nuée de grains de poussière ordinaire, et se rua au milieu du plan, euphorique, poussant des cris de joie et beuglant d'une voix à réveiller les morts : «Je vois! Je vois!»

Ce tintamarre ne tira pas Nieuwenhuizen de son sommeil, mais la patronne, elle, fondit sur la fenêtre du séjour pour observer la scène, hagarde.

Le patron courait en rond, sautait comme un cabri et brandissait les poings, se tapait sur les cuisses, s'arrachait les cheveux, riait et pleurait, larmes mêlées à la crasse de ses joues, bave aux lèvres, et il faisait des roulades, avalait sa langue, retombait, écumait. Oui.

«J'ai essayé de me réjouir pour toi, dit la patronne, mais quelque chose m'échappe. Tu te racontes des histoires? Tu joues à faire semblant? Tu as des hallucinations? Mais qu'est-ce qui se passe, là-bas, à la fin?

— Rien de tout ça, répliqua le patron sans se démonter. La nouvelle maison… se matérialise. C'est une sorte de d'apparition.

— Il a des visions!

— Bien sûr, il faut être réceptif.

— Cela va sans dire.

— Voilà comment ça se passe, même si les mots sont impuissants: la tignasse ébouriffée d'un pinceau balaie un écran blanc dans un sens, puis dans l'autre, éparpillant de la poudre d'or et des paillettes, et 1, 2, 3, une demeure à plusieurs étages apparaît, en couleurs.

— Comme par magie?

— Le tour est joué! Briques vitrifiées et tôle ondulée.»

Elle pensa: il est à bout, il a la berlue. Mais sans doute devrions-nous nous nous estimer heureux. Au moins, cette chose est dans sa tête; une telle réalité serait intolérable.

Encouragé par ces preuves tangibles, Malgas essaya de renouer le dialogue avec Nieuwenhuizen, partant de l'hypothèse raisonnable qu'une voix familière et un sujet adoré sauraient l'amadouer et le ramener au monde des vivants; aussi ajouta-t-il un compte-rendu quotidien à son programme. Il s'asseyait alors sur une pierre à l'extrémité de la tente, près de l'endroit où, selon lui, se trouvait la tête de Nieuwenhuizen, et exposait d'un ton neutre ses nouveaux pouvoirs de clairvoyance.

Il disait :

«C'est vrai : de la bakélite, oui, des balustres, des baies vitrées, des boulins, des briques bien sûr, et j'oubliais, le barbecue. Notez, je vous prie.»

Puis il s'occupait du plan, et parpaing après parpaing, mur après mur, avec une débauche imprévisible de mortier et de PVA, d'innombrables proliférations et ramifications, digressions, diversions et divagations, faux départs, angles morts et culs de sac, contre-temps et bonds prodigieux, deux pas en avant, un pas en arrière, la maison fit son apparition, au point qu'un jour, Malgas se trouva enfermé à l'intérieur, cerné de toutes parts et coupé du monde extérieur. Malgré tout, la maison grandissait toujours : ici une chambre, là une autre pièce, et un couloir entre les deux. Ici une cloison, là un autre mur, là un paravent. Et de niveau en niveau, d'étage en demi-paliers, la maison grandissait toujours.

C'était un endroit magnifique, dont les moindres éléments étaient aussi majestueux que dans les rêves de Malgas, mais il comportait aussi ses limites, bientôt révélées. La maison ne possédait aucune profondeur. Elle avait la solidité factice d'un décor de théâtre. Les couleurs brillaient d'un éclat peu naturel, et pourtant, au moindre relâchement de concentration, Malgas voyait l'édifice tout entier blêmir et tanguer comme s'il allait s'écrouler.

«Il faut le reconnaître», confia-t-il, anxieux.

Chose intéressante : il avait appris à voir la nouvelle maison et compris que d'une certaine façon, il existait une corrélation entre cette réussite et son amour pour le plan, même si la teneur exacte de ce lien continuait à lui échapper. Un jour, tout en réfléchissant à ce mystère, il se rappela le clou secret, qui reposait depuis des lustres sous les restes compactés du tas de cendres. À peine en eut-il convoqué l'image que toute la maison jaillit du sol.

Jusqu'alors, il n'avait jamais osé quitter son poste pour s'aventurer dans le hall d'entrée, au pied du grand escalier, mais poussé vers les hauteurs par une vague d'optimisme, il se retrouva dans un salon, au premier étage, tandis que la maison tout entière bourdonnait autour de lui, réceptive à ses sensations, resplendissant de lumière et de couleur. Promenant son regard sur cet environnement somptueux, l'eau lui vint bientôt à la bouche. L'endroit avait de quoi ouvrir l'appétit. D'abord, le patron goûterait le mur à côté de la cheminée – couches de pierre feuilletée renfermant des globules de mortier caramélisé, fourrés de cerises et de noix. Jamais il n'avait vu autant de lumière rassemblée en un même endroit! Elle jaillissait de lustres de cristal et de chandeliers alambiqués. Elle s'échappait de losanges de verre coloré. Elle gouttait de la brique comme du miel et recouvrait d'un glaçage luisant les dalles de marbre crémeux et de bois chocolaté.

Il était si doux d'être vivant à l'intérieur de la nouvelle maison, que Malgas en défaillit de bonheur.

Tout devint limpide.

Le clou secret, qui palpitait comme un fanal, attira Malgas vers un recoin sous l'escalier qui s'était spécialement écarté sur son passage. Dans cette pièce étroite qui sentait le moisi, au plafond bizarrement penché, il fut obligé de se courber, mais grâce à la présence d'un tapis de couleur vive et d'une lanterne suspendue, il la trouva aussi douillette qu'un écrin. Un hamac et un fauteuil pourvu d'un coussin moelleux destiné à soutenir le bas du dos, une table surmontée d'une lampe de chevet, et une boîte à outils qui servait aussi de repose-pieds en composaient le mobilier.

Quand le patron conta à la patronne la découverte de cette pièce, elle dit en reniflant :

«Je savais bien qu'un jour, tu voudrais partir sans moi.»

*

C'est en forgeant qu'on devient forgeron, et Malgas forgeait sans relâche. Il s'entraînait à voir la nouvelle maison jusqu'à plus soif. Il ouvrait les pièces d'un coup sec, comme des lanternes chinoises, et déployaient des ailes entières comme des soufflets de concertinas. Il télescopait des colonnes et les glissaient dans des cavités humides sur les balcons. Il dépliait des étages et empilait des escaliers. Il posait des rames de tuiles sur les montagnes russes des chevrons.

Puis, d'un coup, il recommençait tout à l'envers.

Il s'exerçait aussi à vivre dans la nouvelle maison. Il s'entraînait à passer de chambre en chambre et à s'adosser aux couloirs attenants. Il visitait toute la demeure au moins une fois, sans omettre la moindre antichambre, la moindre alcôve minuscule. Une fois mémorisé l'emplacement de chaque pièce, il se livra aux tâches quotidiennes qui, à terme, transformeraient la maison en foyer : sonner à la porte, verrouiller la barrière de sécurité, écouter les messages sur le répondeur, remplir la bouilloire, allumer le poste, s'asseoir sur le canapé, manger son plateau télé, répondre au téléphone – allô? – redresser les cadres, feuilleter les magazines, soupirer, faire sortir le chat, remplir la bouillotte, allumer la lampe de chevet, rabattre le coin du tapis, ramasser le coupe-papier. Son entraînement quotidien achevé, il se reposait dans sa chambre sous l'escalier.

C'est au cours de l'un de ces moments de détente que Nieuwenhuizen refit son entrée.

«Vous voilà, lança-t-il depuis le hall, dans lequel il s'était introduit sans le moindre bruit. Je vous ai cherché partout.»

Son aspect stupéfia Malgas. Ses joues ressemblaient à du papier d'emballage froissé. Un enfant avait barbouillé ses traits à grands coups de pastels gras – violet pour les lèvres, vert bouteille pour le nez, rouge sang pour les yeux. Sur son front, les cheveux étaient griffonnés à l'encre de Chine. Sous ses paupières, tampons de papier buvard humide, ses iris crépitaient par intermittence. À la vue de ce visage vandalisé, Malgas fut empli de pitié et de compassion; mais il comprit que la réserve était de mise, maîtrisa ses émotions, continua à se balancer dans son hamac, et répondit simplement:

«Me voici.

— Vous avez pris vos aises.

— J'ai veillé à l'entretien en votre absence. Tout y est, en parfait état.

— Fidèle Malgas. Je suis fier de vous.»

Cet hommage émut profondément le patron. Il lui sembla que le moment était venu d'exprimer ce qu'il ressentait:

«Je pense que nous avons été tous les deux fantastiques», dit-il en retombant pesamment sur le sol, et il étreignit Nieuwenhuizen.

L'enfermement avait rendu ce dernier plus maigre et plus sec que jamais: un fétu de paille dans les bras de

Malgas. Quand celui-ci relâcha son étreinte, Nieuwenhuizen recula d'un pas chancelant et cligna de ses yeux gonflés :

«La lumière est aveuglante, ici.»

Le patron écarta la lampe de chevet, soudain honteux de ses propres larmes, et proposa, d'un ton faussement assuré :

«Puis-je vous offrir quelque chose? Jus de fruit? Bière brune?

— Il fait frisquet pour une bière. Mais un whisky, ce serait parfait.

— Alors approchons-nous du bar encastré.»

Malgas s'empressa de faire entrer Nieuwenhuizen, referma les portes et l'attrapa par le coude, qu'il sentit pointu. Ils marchèrent. Quand Malgas entendit le *squii*? *squii*? timide des semelles de caoutchouc de son compagnon, accompagné par le boniment affirmatif de ses propres *velskoene*, il sentit s'apaiser l'agitation qui s'était emparée de son cœur et retrouva bientôt ses esprits. À l'étage, ils longèrent une longue galerie rutilante; au bout, ils tournèrent à droite, jouèrent des coudes dans les portes battantes et pénétrèrent dans le bar. Nieuwenhuizen s'assit sur un haut tabouret fixé au sol, orné de garnitures de cuivre, tandis que Malgas préparait les boissons.

Puis, côte à côte, verres à la main, Nieuwenhuizen à gauche et Malgas à droite explorèrent la nouvelle maison.

Au bout de chaque couloir scintillant, ils voyaient leurs reflets en pied dans des miroirs et dans de la pierre polie, dans des cloisons de verre fumé et des panneaux laqués, et tous ces témoins silencieux de leur endiguement conspiraient pour donner à Malgas le courage de ses convictions.

Dans l'une des chambres d'amis, une bûche flambait dans une cheminée décorée, et ils s'arrêtèrent pour se réchauffer les mains. Malgas donna un petit coup de pied dans le garde-feu

«Marbre blanc de Sicile, murmura-t-il, comme pour lui-même, grès beige incrusté de lilas.

— Moulures décoratives de style traditionnel, pleines de charme, consentit Nieuwenhuizen à voix basse. Pilastres cannelés et rosaces sculptées à la main. Blocs tuffacés?»

Ils se rapprochèrent en même temps et poursuivirent dans une lumière plus rose et un silence plus complice que leur conversation muette servait simplement à rehausser.

«Luminaires.

— Suspensions lumineuses

— … à pompons.»

Leurs paroles, qui allaient et venaient de l'un à l'autre, les liaient tempe à tempe dans une douce coquille de dénomination.

«Chaises d'appoint.

— Dossier matelassé…

— … en Dralon couleur rubis.

— Guirlandes de fleurs et fruits.

— Plinthes d'albâtre…

— … et de plastique.

— Tables d'appoint.

— Taches de lumière…

— … sur mélaminé.»

Plus tard, Nieuwenhuizen somnola dans la bibliothèque, un vieil ouvrage poussiéreux ouvert sur les genoux; Malgas sortit sur la pointe des pieds pour rejoindre la terrasse panoramique et respirer une bouffée d'air frais.

C'était une nuit magnifique. Le clair de lune luisait sur les rampes et les longues vues comme sur une calandre plaquée chrome. Le fossé était une masse de coups de pinceaux argentés. Remisé dans un coin de la cour, près du quartier des domestiques, le campement de Nieuwenhuizen et son équipement vieillot, éparpillé aux quatre vents, paraissait exigu et lointain. Malgas n'avait jamais rien vu d'aussi beau; son cœur débordait de gratitude et d'émerveillement.

«Nous aurons aussi un jardin, dit-il pour lui-même en embrassant du regard le sol aride, avec patios, grottes, buissons ardents, rince-bouteilles, courts de tennis et sentiers d'excursion, poulailler et bassin peuplé de poissons enjambé par un petit pont de bois. Mais nous conserverons le camp en l'état, pour les générations futures. Nous en ferons un monument, un musée à ciel ouvert. Jamais nous n'oublierons d'où nous sommes venus.»

Malgas aurait voulu repérer sa propre maison en contrebas et faire quelques commentaires à son sujet, mais il ne parvint pas à la voir.

Il rentra. Nieuwenhuizen était toujours affalé sur un fauteuil d'osier, rapproché du feu. La cadence familière de son ronflement émut Malgas à nouveau. Il effleura l'ourlet du costume de brousse de son comparse, comme pour s'assurer de sa réalité, et appela doucement:

«Père?»

Réveillé en sursaut, Nieuwenhuizen, dont le livre venait de tomber face contre le tapis, éternua et dit:

«Je vous en prie, appelez-moi Otto.

— À vos souhaits! Pardon?

— Otto.

— Ot-to?

— *Otto.*

— Ot-to.»

Ce nom claqua dans la bouche de Malgas. Il en avala un morceau hardiment, fourra l'autre dans sa joue du bout de la langue, et poursuivit:

«Si vous le permettez, j'aimerais à ce stade vous livrer une observation.

— Pourvu que vous soyez bref. Parfois, vous radotez comme un vieux trente-trois tours rayé.»

Malgas avala à nouveau.

«Je voulais simplement dire que sans vous, je ne serais pas là aujourd'hui.

— Idem. Vous savez jouer aux échecs?

— Non... en mon jeune temps, je me suis essayé un peu aux dames...

— Rami? Bien. Il y a un paquet de cartes dans la salle de jeux.»

Nieuwenhuizen ouvrit la marche. Quelques pas en arrière, Malgas observait cette tête hirsute comme s'il la voyait pour la première fois, et répétait timidement, pour lui-même: «Otto».

Après une seule partie, qu'il remporta, Nieuwenhuizen dit:

«La journée a été longue, je tombe de sommeil.»

Malgas pensait qu'une invitation à rester dormir suivrait, mais l'autre ajouta:

«Je vous raccompagne.»

Ils se serrèrent la main sur le pas de la porte, même si Malgas eût préféré une accolade virile.

«Bel endroit que vous avez là, Otto. (Il réussit à recracher le nom en un seul morceau.) Dormez bien.

— À la revoyure!»

Et la porte se referma.

Pendant un long moment, le patron resta sur le paillasson, tapant des pieds et s'essuyant les mains; la clé qui frottait dans la serrure et les chopes qui chutaient encore et toujours résonnaient sans cesse à ses oreilles.

Il en était convaincu, ce jour marquait le début d'une nouvelle phase de sa vie, à laquelle il finit par trouver un nom: la camaraderie.

Il regarda la sonnette de l'entrée et le heurtoir de métal bruni; il écouta Nieuwenhuizen qui fourgonnait bruyamment à l'étage, fermait des fenêtres et tirait des rideaux. Il l'entendit aller de pièce en pièce, il l'entendit descendre. Il allait dormir dans la chambre principale, à coup sûr? Malgas eut l'impression qu'il entrait dans la pièce sous l'escalier, le dos voûté.

«Ma chambre!»

Le patron était ravi.

«Il me rend hommage à nouveau. Non, c'est plus que ça: il m'offre une preuve de sa solidarité.»

Cette éventualité le dérouta tant que la nouvelle maison s'évanouit en un clin d'œil. Le plan était révélé, tout comme Nieuwenhuizen, pelotonné dans le tas de cendres.

«Otto?»

La patronne ouvrit un tiroir de sa coiffeuse et s'aperçut qu'il était plein de sable.

«C'est Lui. À l'évidence, Il est partout. Il n'est pas sain de vivre à deux pas de chez Lui, de respirer Ses effluves, mais on ne peut faire autrement.»

La contagion s'était déposée en couche épaisse sur les accoudoirs et les plans de travail. Tous les coups de chiffons du monde ne pouvaient rien y changer. La patronne abandonna. Elle s'allongea sur le lit, une écharpe imbibée de Dettol et d'essence d'amande autour du visage. Elle écoutait ses bibelots qui se mélangeaient dans les vitrines. Quand le vacarme devint insupportable, elle se traîna dans le séjour pour regarder la télévision. C'était une maigre consolation, mais elle persévérait avec une docilité mélancolique.

La lucarne ne déversait qu'agitation et désordre, combats et massacres, voire bains de sang entre factions rivales, système de haute pression et fronts froids, sitcoms et drames réels, détournements d'avions, coups médiatiques, interviews de personnalités, mariages princiers, exposés, scandales, scoops, consommation ostentatoire, criminalité en col blanc, détergent à bouchon bleu, épidémies, indicateurs économiques, dialogues de paix, exemples réconfortants de courage et de charité envers des étrangers, publicités pour de la nourriture pour chien, appels aux dons. La patronne encaissait chaque nouvelle atrocité comme autant de coups de poing, et se débattait dans le La-Z-Boy tel un prisonnier politique.

Malgas sortit du congélateur deux plats préparés enveloppés dans des barquettes en aluminium froncé, et les disposa, agrémentés d'un brin de persil, sur un plateau de plastique qui représentait la Cène en trois dimensions. Il apporta le plateau dans la bibliothèque. Nieuwenhuizen était absorbé dans la contemplation des flammes, un livre écorné abandonné sur les genoux. Malgas désigna les deux plats et dit :

«Et pour monsieur, qu'est-ce que ce sera ?

— Quelle différence ? répondit Nieuwenhuizen, qui accorda à peine un regard aux offrandes.

— Nous avons de la truite, expliqua patiemment Malgas, et du *cottage pie*»

En réalité, le nom des plats était imprimé en lettres violettes sur les couvercles en carton. Nieuwenhuizen fit signe qu'il s'en fichait.

«La truite est désarêtée, insista Malgas, et fourrée de lanières d'épinards et de noisettes concassées, relevée subtilement par un beurre de marjolaine, quelques tours de poivre du moulin et un trait de jus de citron. Mnrx et vtmnes essentielles – vous m'écoutez? – 30 % des apports quotidiens. Le *cottage pie* est moins élaboré.

— Choisissez.

— Le *cottage pie* est aussi connu sous le nom de *sheperd's pie*, pour des raisons aujourd'hui oubliées. Il se compose de viande émincée et cuite sous une épaisseur de purée de pommes de terre, du moins une fois passé au micro-ondes.

— Ça m'est égal. Faites.

— Je sais! Autrefois, on le préparait avec de l'agneau, mais les moutons sont morts d'hypothermie, vilains bergers, quant aux pommes de terre, elles sont bon marché et disponibles partout.»

Nieuwenhuizen bondit de sa chaise comme un lutin de sa boîte, et sortit de la pièce en se tortillant. Le vieux volume, lancé négligemment, avait quitté ses genoux, battu des ailes, et atterri dans le feu. Malgas vola à son secours, armé de pincettes, puis se ravisa et le laissa se consumer.

«Je vais vous réchauffer tous les deux, et on fera moitié-moitié», dit-il aux plats, et il les pressa de rejoindre la cuisine.

M. Malgas cessa d'aller travailler. Il perdit du poids et commença à sentir, parce qu'il ne voulait plus ni se laver, ni s'alimenter. Il passait tout son temps à tenir compagnie à Nieuwenhuizen.

La patronne, malgré de nobles intentions, dut se rendre à l'évidence : elle était condamnée à constater les faits. Oppressée par la solitude et la mésestime d'elle-même, elle commença à dépérir. Interdiction de faire du repassage. De donner le moindre coup de chiffon. Son aspirateur avait rendu l'âme. Jour après jour, semaine après semaine, elle devait regarder les deux hommes faire comme si.

Une matinée comme les autres, le patron se rendit chez le voisin, à l'aube. Il regarda dans la boîte aux lettres. ATTENTION, CHIEN MÉCHANT ! Il marcha d'un pas assuré vers le plan, qui malheureusement n'était plus que l'ombre pâle et défraîchie de lui-même, et y rentra. Il fit des moulinets, se faufila de côté, avança, toqua, un coup de fil, un coup sec, trifouilla l'air, l'ouvrit et entra.

« Otto !

— Coucou !

— Chouchou ! » cria la patronne, qui se mordit la langue jusqu'au sang.

Nieuwenhuizen se retourna dans les cendres, s'étira, se leva, ouvrit la porte sous l'escalier et serra la main du patron. Côte à côte, ils se mirent en route. Ils progressèrent, en haut, en bas, en lieu et place. Ils décrivirent des cercles et s'assirent par terre. Ils échangèrent quelques mots. À trois reprises, Nieuwenhuizen se leva, s'élança en l'air et laissa ses membres retomber avec fracas, comme des allume-feu. Le patron suivit son exemple, riant de bon cœur même quand il se cognait ou se foulait telle ou telle articulation.

Puis Nieuwenhuizen s'excusa et descendit la pente vers un coin du plan, où il s'adossa au vide et regarda dans le vague. Le patron ôta tous ses vêtements. Il se frotta l'ensemble du corps avec du sable et de la cendre, et se racla la peau, armé de bâtons et de pierres. Il dansa. Puis il se rhabilla, se plaça à côté de Nieuwenhuizen, et regarda dans le vague. Ils marchèrent main dans la main et s'arrêtèrent, se séparèrent, se saluèrent, s'allongèrent par terre comme une paire de parenthèses, et s'endormirent.

Malgas rêva que Nieuwenhuizen et lui volaient en altitude (de conserve). Une fois réveillés, ils s'assirent dans un triangle de ficelle, comme deux gosses dans un bac à sable, discutèrent et regardèrent dans le vague. Puis ils se levèrent, se congratulèrent, et selon la sensibilité de chacun, arpentèrent le théâtre des opérations, soucieux d'éviter le campement, décrivant des cercles, sautillant, tournant à gauche ou à droite, jusqu'à se rejoindre devant la porte d'entrée, où ils se serrèrent la main et prirent congé à grand bruit.

«Adieu!

— Faites de beaux rêves!»

Le patron sortit du plan et gagna la rue. Il jeta un œil dans la boîte aux lettres et rentra chez lui.

«Ton dîner est dans le tiroir chauffant, dit la patronne. Bon à mettre à la poubelle, sans doute.

— Sans façon, merci, répondit le patron avec un pauvre petit sourire. Je n'ai pas une faim de loup. Pas même de louveteau.

— Tu devrais avaler quelque chose; tu flottes dans tes vêtements.

— J'ai déjà mangé.

— Tu as vraiment une sale tête, dit-elle, espérant chasser ce sourire du visage de son époux, et tu pues l'engrais. Un de ces jours, on te répandra dans les massifs de fleurs. Pour les phlox.»

Pourtant, le patron était ravi. À la dérive, il traversa sa maison, comme si elle n'existait pas. Il s'allongea dans un coin sombre du garde-manger et s'endormit, aux anges. La patronne aurait voulu décrire ce qu'il avait fabriqué, mais elle n'arrivait pas à en placer une.

Un soir comme celui-ci, un soir assez typique où il n'y a rien à rajouter, alors que Mme Malgas était allongée, seule, dans les bras de son La-Z-Boy, un reportage sur les émeutes révéla la vidéo d'une femme brûlée vive. Une femme accusée d'espionnage a été immolée par une foule en colère, déclarait le journaliste.

Suite à un avertissement destiné à prévenir les spectateurs que certaines images pourraient heurter leur sensibilité, la patronne ferma les yeux, en personne responsable. Mais lorsque l'écran projeta sa lumière sur ses paupières, il lui apparut qu'elle attendait ce moment depuis toujours; elle se sentit obligée de rouvrir les yeux, et vit la femme en flammes qui courait sur une route bordée de maisons-boîtes d'allumettes.

Une femme en flammes!

Une femme accusée d'espionnage.

J'espionne un objet qui commence par un F. Flammes.

Les gens qui avaient mis le feu à cette femme, dont le nom commençait par un L, la personne qui avait craqué l'allumette, les curieux attirés par le brasier, et les autres furieux, qui avaient peur du noir, couraient après la victime et respiraient la fumée. La femme bondit en l'air. Elle perdit au vol l'une de ses chaussures. Elle retomba et se roula en boule, et sa robe rouge déchirée s'enroula autour de sa tête. Les autres, idiots délirants, s'amassaient en constellations de points consternés, et leur regard attisait le brasier; la femme se roula en boule, la femme se déploya et se remit sur ses deux jambes. Une chaussure. Nssnce.

Une femme en feu! Embrasée.

Les papillons de nuit – des gens ordinaires –, et les autres, pauvres miroirs, éparpillés l'espace d'un instant, se regroupèrent à nouveau. La patronne se retrouva dans le cercle étouffant des badauds qui se dispersaient et se rassemblaient, regardaient, le visage illuminé – reprends-toi! – comme si, comme si sa propre revendication consistait à nommer leurs expressions, à la lumière de cette torche humaine, de son agonie, de sa mort.

Elle éteignit le poste, tardivement, et l'image se dissipa pour laisser deux charbons ardents sous ses paupières. Remembrances, béances, embrasé, membres, mme, m.

La patronne songea qu'elle était sensible. Fallait-il fournir des documents pour l'attester? Des preuves écrites?

Puis la patronne songea au patron, et à la façon dont il se ridiculisait. C'était une épave, il perdait du poids – jusqu'à sa petite brioche. Son bonheur le consumait. Et Nieuwenhuizen? Il était partout, éparpillé; que restait-il de Lui? Elle se leva et alla à la fenêtre, mais le voilage lui souffla au visage, comme une bouffée de fumée, de sorte qu'elle fut contrainte de faire demi-tour et, renvoyée, suffocante, à son foyer indocile.

Nieuwenhuizen et Malgas s'assirent sur leurs fauteuils rembourrés pour un brin de causette dans la salle de jeux. Ils avaient bien occupé leur matinée en jouant à une variante de la bataille revue et corrigée par Malgas, qui impliquait des pattes et des patères, et les deux hommes en éprouvaient une saine fatigue.

Ils ruminaient un silence confortable.

Une fois de plus, Malgas observa la cartouchière et le chapeau de chasseur que Nieuwenhuizen avait pris l'habitude de porter jour et nuit; il avait toujours désapprouvé la première, qui pouvait du moins s'accorder avec l'atmosphère fruste du campement. Mais dans la nouvelle maison, il la trouvait parfaitement incongrue. Quant au chapeau... avait-on franchement besoin d'un couvre-chef à l'intérieur? En était-on arrivé là? Toute la journée, il avait voulu aborder le sujet, mais s'était abstenu, par crainte de gâcher la camaraderie tranquille qui les unissait à présent. Peut-être était-il prématuré d'émettre des critiques? Il fallait laisser passer le temps, le laisser passer en paix. Et si le moment idéal était venu? Ce moment dépendait-il d'un mot de passe imprononçable? Il imagina une question, la modifia, et s'apprêtait à la formuler lorsque Nieuwenhuizen leva la main droite pour le faire taire, les sourcils en accent circonflexe, ses lèvres arrondies en un O parfait, puis il plia les doigts, à la façon d'un grappin, et enfonça la main dans les lames du plancher, en laissa pendre l'hameçon et repêcha une section du plan. Malgas n'en croyait pas ses yeux. Horrifié, il voyait les lattes voler en éclats, et la ficelle se dévider depuis le plafond, comme une veine distendue. Nieuwenhuizen étira le fil entre les jointures de ses doigts et le fit claquer. Les deux extrémités éclatées formaient deux touffes de fibres vibrantes. Il coinça l'un des deux bouts sous un pouf en forme de patte d'éléphant. Il noua l'autre bien serré autour de son poignet et se leva. Il s'en fallut de peu, car au moment où il se redressait, la chaise vide s'affaissa, tombant à genoux. Il traversa la pièce à reculons, en rembobinant le fil qui sortait du plancher à mesure qu'il progressait. La ficelle trancha le pin vernis comme un couteau découpant du pain d'épices au beurre.

La maison frissonna.

Nieuwenhuizen disparut dans l'embrasure de la porte pour gagner la pièce attenante, le plan enroulé autour de son bras gauche, du pouce jusqu'au coude. Malgas gesticulait et trébuchait à sa suite, désignant d'une voix étranglée les bords friables de la brèche. Ses genoux tremblaient, tandis que ses mains s'ouvraient et se refermaient sur le vide.

Dans cette pièce, une espèce de salon, un feu brûlait dans la cheminée vers laquelle Nieuwenhuizen fonça sans hésiter. Il toucha les flammes, fit voler l'âtre en éclats, et jaillir un clou dans un enchevêtrement de ficelle. Il l'extirpa, étouffa quelques flammèches collantes en frottant l'objet contre sa cuisse, souffla dessus pour qu'il refroidisse et l'enfonça dans un œillet de sa cartouchière. Il s'y emboîta.

Malgas retrouva sa voix, mais ne trouva rien à dire pour s'en servir. Il sauta par-dessus la brèche, hop! en arrière, en avant, et sentit la maison trembler tandis qu'elle absorbait les secousses. Enfin, une phrase lui vint à l'esprit – elle n'était pas idéale, mais il lui faudrait s'en contenter – il s'arma de courage et déclara:

«Par respect pour les bienséances, arrêtez ce massacre absurde!»

Nieuwenhuizen lui lança un regard intrigué, ricana, ramassa un nouveau fil dans l'âtre brisé, au milieu des cendres, et traversa un mur, fracassant maçonnerie et menuiserie. Malgas l'entendit qui toussait et riait dans la pièce à côté. Il envisagea de le suivre en passant par l'ouverture aux bords déchiquetés, dans laquelle tempêtait encore un nuage de poussière de plâtre et de copeaux de bois, mais il ne put s'y résoudre. Il lui fallait faire le grand tour. Il se rua dans le couloir et, arrivé à proximité de Nieuwenhuizen, détermina sa position. 1.

Celui-ci était entré dans une salle de bains inutilisée de l'aile est. Quand Malgas le rattrapa, il se tenait avec un air faussement candide dans la vasque brisée d'une baignoire, occupé à dégager ses clous du plan (qui, à force d'écumer, avait formé un caillot autour de son bras gauche), et rechargeait la cartouchière. Il était couvert d'une poudre blanche, et le bord de son chapeau, saupoudré de miettes de briques et d'éclats de carrelage. Un tuyau tronqué recrachait de l'eau savonneuse sur ses bottes. Il sortit de la baignoire d'un pas fort élégant, aplatit un paravent et fit irruption dans la chambre. Il entreprit d'attraper sous le lit des poignées de fil pour les rembobiner.

Aux grands maux, les grands remèdes. Malgas emplit ses poumons d'un air abrasif et déclara:

«Qu'est-ce qui se passe ici, Père – je veux dire Otto?

— Je me débarrasse de ce vieux machin.

— Ce «vieux machin», c'est notre plan bien-aimé, la prunelle de nos yeux. Est-il besoin de vous le rappeler?

— Il est foutu.

— Quoi!

— Pardon. Il est cuit. Kaput.

— Vous ne m'avez pas demandé mon avis. Nous pouvons nous asseoir et en discuter, ou rester debout si vous préférez, ça m'est égal, mais avant de passer à l'acte, vous devez me demander mon avis. Je pense que vous me devez une explication pour ce comportement inqualifiable.

— Soyons francs, je ne vous dois rien du tout. Mais si ça vous défrise – et je vois que oui, ne me demandez pas pourquoi – je peux vous expliquer: le plan a rempli son office. Nous n'en avons plus besoin. Ne restez pas là, donnez-moi un coup de main. Plus vite on en aura fini, mieux ce sera.»

D'un coup sec, Nieuwenhuizen tira sur la pelote de fil et une volée de clous jaillit dans un nuage de thibaude desséchée, en déchirant le tapis. La pièce frissonna comme frappée d'un mauvais pressentiment. Une lézarde zébra un mur à point nommé. Malgas s'arc-bouta dans l'encadrement de la porte; Nieuwenhuizen, de son côté, s'assit sur un lit pour défaire un nœud. Le mur derrière lui tangua, une cimaise et deux paysages dans des cadres dorés et ouvragés s'en détachèrent puis tombèrent doucement à terre. Ils se brisèrent de façon spectaculaire, sans effet sonore, et une vague de fragments cascada dans la pièce, pour se déverser comme par une écluse sur le chapeau et les épaules de Nieuwenhuizen puis, perdant de sa vigueur, elle vint mourir entre les jambes de Malgas. Celui-ci tomba à genoux et essaya de recueillir au creux de ses mains en coupe les morceaux qui surnageaient, mais ils disparurent dans la mare.

«Je vous en prie, arrêtez! pépia Malgas, qui avait perdu tout amour-propre. J'ai encore besoin du plan. Sans lui, je ne serai pas capable de voir. Sans lui, je coulerai.» Mais Nieuwenhuizen était inflexible.

«Je suis désolé, il doit s'en aller. On apporte mes affaires à quatre heures, et je dois avoir fini d'ici là. Je ne peux pas faire attendre ces messieurs. De toute façon, cet endroit est un piège à rats. Quelqu'un aurait forcément trébuché et cassé quelque chose.

— Quelles affaires?

— Mes biens.»

Incapable de comprendre, Malgas s'embourbait.

«Mes meubles, dit Nieuwenhuizen, condescendant et exaspéré.

— Vous n'avez jamais dit que vous aviez des meubles!

— Bien sûr que j'ai des meubles! Réfléchissez! Un homme de mon âge.

— Bon, admettons, mais vous n'en aurez pas besoin. "Pourquoi?" objecterez-vous. "C'est évident," rétorquerai-je d'un ton péremptoire: nous avons déjà des meubles. Il n'y a plus de place pour en accueillir d'autres.

— C'est à moi seul d'en juger.

— Ce n'est pas juste. (Malgas était au bord des larmes) Je ne vous laisserai pas faire, nous avons partagé trop de choses.

— Mais pour qui vous prenez-vous, à la fin? s'énerva Nieuwenhuizen. L'architecte? Le propriétaire?»

Malgas renifla et regarda ses mains.

«C'est ma maison, poursuivit Nieuwenhuizen. Elle s'appelle comme moi. Vous, vous n'êtes qu'un visiteur… même pas, un genre de concierge, un concierge stagiaire, sans diplômes ni la moindre expérience valable, bien content de pouvoir disposer d'un placard à balais. Qu'est-ce que vous étiez quand je vous ai trouvé et me suis soucié de votre bien-être ? Un bricoleur raté, voilà ! Un moins que rien mutique. C'est moi qui commande, c'est clair ? Regardez-moi quand je vous parle ! Par exemple ! Si j'avais imaginé que je me ferais agresser comme ça, après tout ce que j'ai fait pour vous. Vraiment, ça me fait mal.»

Sur ces paroles, Nieuwenhuizen tourna les talons, amassant un tas de fil et de clous, et franchit un mur fissuré. Il traversa un four en hauteur et un évier, renversant au passage une miche de pain à moitié cuite, un pudding au beurre et une pile d'assiettes sales, puis ressortit dans le dressing dans la chambre principale. Il le quitta, franchit deux murs, plongea à travers le plancher et se retrouva dans la chambre de Malgas sous l'escalier, la tête dépassant du plafond.

Malgas bondit et se lança à sa poursuite, étouffé par les confettis soulevés au passage de Nieuwenhuizen. Le patron fit le grand tour ; Nieuwenhuizen prit les raccourcis. Malgas l'apercevait qui se mouvait sans crainte au bout de couloirs, sous des passages voûtés, ou des passe-plats. Chaque fois qu'on portait atteinte à son intégrité, la maison tremblait de plus en plus belle.

Dans sa descente précipitée du grand escalier, Malgas faillit trébucher sur la tête de Nieuwenhuizen qui était appuyée comme une noix de coco trop apprêtée contre l'une des contremarches. Il sauta l'obstacle pour atterrir au bas de l'escalier et ouvrit à la volée la porte de sa chambre. Il trouva Nieuwenhuizen au garde-à-vous sur le tapis, talons serrés et orteils écartés. L'espace contenu entre ses bottes figurait une flèche dont la pointe désignait avec précision le clou secret, niché dans l'ombre sous les lattes du plancher. Des bouts de ficelle informes s'échappaient des trous du tapis, par touffes effilochées, et conduisaient au plan, roulé en boule, qui se balançait nonchalamment dans le hamac.

En l'espace d'une seconde, Malgas comprit l'intention de Nieuwenhuizen, mais il était trop tard pour l'en empêcher. Celui-ci passa la main sous le tapis et saisit le plan auquel était attaché le clou secret. De la sciure et des cendres jaillirent entre les accrocs. Il tira d'un coup sec. Le clou tint bon, mais quelques instants à peine. Puis il jaillit en pleine lumière en poussant un hurlement qui noya le cri de douleur de Malgas. D'une visibilité inexcusable, le clou secret, qui à présent n'avait plus de secret que le nom, pendait dans un entrelacs de ficelles. Il flottait ainsi, sans raison apparente. Froid et gris. Il avait perdu tout son éclat.

La maison pâlit. Le regard de Malgas la traversait de part en part. Il vit choir des chopes en tas désœuvrés, il vit des portes s'ouvrir et se refermer à l'infini, il vit des filaments se ratatiner au creux des ampoules et devenir gribouillis de cendres, il vit exploser la tête d'une allumette. Alors il se mit à pleurer et à crier, pathétique :

«La maison! La maison!

— Arrêtez.

— La maison. Elle s'effondre autour de nous.

— Espèce de pleurnichard. Si j'avais su que vous vous comporteriez ainsi, je ne vous aurais jamais laissé entrer.

— Tout ce dur labeur, pour rien! sanglotait Malgas. Je la connaissais par cœur, et à présent, vous la démolissez.

— Ce n'est pas dans le cœur qu'elle se trouve, nigaud, mais dans la tête.»

Nieuwenhuizen repoussa son chapeau vers l'arrière, et dégagea son front proéminent.

165

«Un vrai chef de famille ne s'attache pas ainsi aux choses. Qu'est-ce qu'une maison? Ce dont elle est sortie vaut bien davantage.»

Tout en parlant, il fit surgir un complexe immobilier mauresque du ruban de son chapeau, le fit tenir debout dans sa paume, le réduisit en boule, l'enfourna et l'avala. Il ouvrit la bouche pour bien montrer qu'elle était vide. Ce geste captiva Malgas : il fixait la digue de dents jaunes et la langue rose qui venait la lécher. Alors Nieuwenhuizen tendit la main, et l'une après l'autre, une demi-douzaine de modestes pavillons fleurirent entre ses doigts, roulèrent sur ses jointures et disparurent.

Malgas sortit un chiffon de sa manche et se moucha.

«Voilà qui est mieux.»

Et pour couronner le tout, Nieuwenhuizen cueillit une maison derrière l'oreille de Malgas. C'était une ravissante miniature, truffée de tours et de remparts, pourvue d'un garage double et d'un abri pour voiture, d'un mât et d'un pont-levis, d'une piscine en fibre de verre bordée d'une margelle en Slasto avec un aspirateur et un plongeoir, d'une cage à poules dans l'aire de jeu, et d'un mini-golf. Elle ressemblait trait pour trait à la nouvelle maison, qui pourtant ne cessait de grincer et de tanguer autour d'eux, si bien que Malgas sentit une boule de chagrin inconsolable gonfler dans sa poitrine. Il allait à nouveau fondre en larmes quand Nieuwenhuizen jeta en l'air la petite maison, où elle s'autodétruisit dans un coup de tonnerre, et dit gaiement :

«Vous voyez? Aucune raison d'être sentimental. Allez, maintenant donnez-moi un coup de main.

— C'est fini, se dit Malgas.»

Il se sentait las et vide. Il commença à seconder Nieuwenhuizen dans sa tâche ingrate. Quelqu'un devait s'en charger. Nieuwenhuizen se débarrassa de la cartou-chière : d'après lui, ils avaient perdu trop de temps en palabres pour s'inquiéter des clous, aussi roulèrent-ils en boule le plan et tout le reste. Cette maigre victoire ne procura aucun plaisir à Malgas.

À mesure que progressait la manœuvre, la maison était prise de convulsions et devenait transparente ; les tuiles et les tuyaux de cheminée dégringolaient dans les gouttières avec fracas et sombraient dans les eaux calmes du fossé. Des morceaux de maçonnerie se détachaient des murs lézardés et rebondissaient par terre, comme du polystyrène peint.

Malgas se força à ne regarder ni les lattes fendues qui volaient en éclats, ni les murs qui s'écroulaient, ni les bottes maladroites de Nieuwenhuizen qui imprimaient croix et flèches dans les amoncellements de sciure et de sucre glace. Il retint dans ses mains la forme familière des pièces et essaya de conserver la nouvelle maison intacte, même si le cœur n'y était plus.

À quatre heures, conformément à l'annonce de Nieuwenhuizen, une camionnette de livraison chargée de ses affaires s'arrêta devant la parcelle. Le véhicule était vert, orné sur le côté d'un gonfalon doré tenu par deux mannequins en bleu de travail, véritables jumeaux, et sur l'oriflamme, on lisait l'inscription DÉMÉNAGEMENTS EXPRESS. Les centaines de coups de pinceau effilés qui brouillaient les contours de ces petits bonshommes laissaient deviner à quel point ils étaient pressés.

Malgas était assis sur le perron, la tête dans les mains. Nieuwenhuizen se percha au bord du *stoep*, les pieds posés sur l'amas de clous, unique vestige du plan. Ils n'avaient rien à se dire, même si les mouvements de tête de Nieuwenhuizen parlaient d'eux-mêmes. Deux déménageurs – le conducteur et son assistant – descendirent de la camionnette; Nieuwenhuizen alla s'entretenir avec eux, leur serra la main à tour de rôle, devisant avec naturel, prenant et donnant des conseils. Malgas fut soulagé de constater qu'ils n'étaient que deux. Il ne semblait pas non plus y avoir beaucoup de meubles, même si le peu qu'il y avait paraissait vieux et laid. Canapés et fauteuils, une armoire, une commode; lampadaires et plantes en pots, appareils ménagers. Une douzaine de caisses. Malgas les jaugea d'un œil critique et trouva qu'elles laissaient à désirer: c'était du matériel médiocre, très mal plié et fermé sans conviction. La mention HAUT était à l'envers.

Sous les ordres de Nieuwenhuizen, les déménageurs déchargèrent le canapé et le portèrent jusqu'à la maison. À quatre pattes, Malgas dégagea le passage, et inspecta le meuble au moment où il lui passait sous le nez. En bois sombre et grainé, il était recouvert d'une épaisse couche de vernis, incrusté de chewing-gums et écorché par d'innombrables griffures d'ongles, coups d'aiguilles à tricoter et de clés, marqué par dieu sait combien de mégots de cigarette et tasses de café. Il avait de puissants pieds Louis XV, ornés de boules et des griffes, mais les accoudoirs, très abîmés, se terminaient par des serres percluses d'arthrose. Le rembourrage s'échappait des coussins, et les spirales des ressorts transperçaient le brocart. Par contraste, les déménageurs avaient fière allure, avec leurs casquettes en tartan flambant neuves (vert gazon et jaune citron) et leurs combinaisons d'un vert plus tendre, aux plis bien marqués, aux poignées et revers ornés de passepoil vieil or.

«Coïncidence?» voulut savoir Malgas.

En guise de réponse, Nieuwenhuizen passa la porte d'entrée sans prendre la peine de l'ouvrir. Les déménageurs, agrippés au canapé comme à un bélier, le suivirent de leur pas lourd et fracassèrent la porte, qui sortit de ses gonds. Quand Malgas vit ces étrangers malpolis et inconséquents piétiner le paillasson et faire irruption dans la nouvelle maison sans même frapper ou ôter leurs casquettes, son sang ne fit qu'un tour. En tête de la course, Nieuwenhuizen agitaient les bras de façon extravagante, et les déménageurs trottaient à sa suite, défonçant les murs et arrachant les installations.

Tandis qu'ils tournaient en rond, en quête d'un endroit où poser le canapé, Malgas se tenait sur le grand escalier, gagné par la volonté louable de se sacrifier. Ses yeux lui sortaient des orbites, sa gorge le brûlait, son front se gonflait de lymphe. Puis ses semelles se mirent à fumer et il se retrouva à genoux au milieu des lattes. Il était presque vaincu. Mais en un clin d'œil, un instinct de conservation désespéré l'envahit à nouveau et lui fit dévaler les escaliers, tête la première. Cette nouvelle entrée théâtrale passa inaperçue aux yeux de Nieuwenhuizen et de ses acolytes.

Les déménageurs apportaient des montagnes d'affaires. Nieuwenhuizen gesticulait comme une poupée de chiffons, les poussant à des cabrioles toujours plus imprudentes. Chaussés de tennis aux imprimés camouflage, ils commencèrent à caracoler et à pirouetter, faisant tournoyer le mobilier et se faufilant derrière lui. Ils riaient aux éclats, échangeaient des chuchotis peu discrets quand Nieuwenhuizen avait le dos tourné, et à chaque fois qu'une couture craquait, qu'un objet versait dans un trou ou tombait en miettes, ils lançaient leurs casquettes en l'air et se donnaient des coups d'épaule.

Ils ne prêtaient pas la moindre attention à Malgas. Il était invisible.

Pendant une heure, celui-ci s'agita autour d'eux comme un pressentiment, ouvrit portes et fenêtres, plaça hors de portée bibelots et artefacts, alla même jusqu'à interposer son propre corps flasque entre l'instrument brutal et l'objet de son affection. Mais tous ces efforts restèrent vains.

À la fin, inéluctablement, Nieuwenhuizen et les déménageurs se propulsèrent dans les airs, transformés en nuage de poussière et de lettres que Malgas ne parvenait pas plus à débrouiller que vous ou moi. Le nuage se mit à bouillir et recracha poings et pieds, casquettes et chapeaux, astérisques et esperluettes, dollars et pourcentages, dièses et bémols, >, <, et =. Malgas céda. Il s'effondra dans un fauteuil émacié. Il avait les cheveux pleins d'éclats de verre. La bouche pleine de poussière. Le cœur hors d'usage.

«Debout, feignant!» cria Nieuwenhuizen qui émergea de la mêlée, couvert de points d'interrogation et de limaille de fer.

Il donna un coup de pied dans la semelle de Malgas et lui fit signe de le suivre.

Malgas accompagna Nieuwenhuizen jusqu'à la camionnette. C'était un soulagement de se retrouver dehors, dans l'air immobile, au clair de lune. En chemin, il se retourna vers la maison: il voyait la carcasse des chevrons à travers les tuiles. À présent, plus que jamais, il aurait voulu dire quelques mots, mais dans sa tête se livrait un combat entre ponctuation et majuscules que sa langue ne pouvait maîtriser. Nieuwenhuizen sifflotait un air en sautillant, mais lui non plus ne disait rien.

Ils déchargèrent un congélateur, le transportèrent

jusqu'à l'aile est, et coupèrent par le fossé, où leurs chaussures s'embourbèrent. Un poisson bondit hors de l'eau et applaudit, cavalier. Dans un accès d'abnégation, Malgas franchit une porte coulissante qu'il fracassa, la transformant en flaque de lumière floue. Il écrasa les morceaux sucrés à coups de talon; laissa tomber l'extrémité du congélateur sur une table basse; d'un coup de pied, envoya valdinguer une statuette de terre cuite. Nieuwenhuizen ne répondit pas à ces tentatives de communication.

La maison chancelait autour d'eux, mais refusait de s'effondrer. Malgas s'étonnait de cette obstination alors même que les ténèbres gagnaient chaque recoin.

Nieuwenhuizen était redevenu un enfant. Tandis qu'il éventrait les cartons avec jubilation, ses camarades de jeu commencèrent à éparpiller ses effets personnels dans les pièces sens dessus dessous.

Ils adossaient des tableaux aux murs et lançaient des décorations sur l'appui des fenêtres. Ils déroulaient des tapis élimés sur le sol. Ils érigeaient des piles instables de casseroles et des poêles à fond de cuivre et les dégommaient à coups de chaussures et de pieds de table. Ils jetaient des rouleaux de papier toilette comme des serpentins, des poignées de pilules et de boulets de charbon.

Quand ils en eurent fini, Nieuwenhuizen leur donna de l'argent, du whisky et des cartons; leur journée de travail terminée, ils allèrent se détendre dans la camionnette.

Nieuwenhuizen lui-même s'apprêtait à rejoindre le campement. Avant de partir, il prit Malgas à part et dit :

«Mal, je me suis bien marré, aujourd'hui. Vous aussi, j'espère.»

Malgas ouvrit la bouche mais aucun son n'en sortit.

«Qu'est-ce qui vous arrive? demanda Nieuwenhuizen. Encore chiffonné?»

Malgas posa un doigt sur les lèvres de Nieuwenhuizen pour le faire taire et le poussa sans ménagement dans la nuit.

Le patron resta une éternité dans l'embrasure d'une porte de guingois, à observer, à attendre, pendant que Nieuwenhuizen ramassait du bois et préparait un feu, cuisinait du lapin, se délectait du festin, et s'asseyait sur une pierre, somnolant et murmurant une berceuse de feu de camp. Puis il tourna le dos au tableau et déambula d'un air las entre les ruines sombres, émerveillé par les débris, les morceaux en équilibre, et par-dessus tout, les juxtapositions incongrues, dont il dressa la liste sans se hâter : chapeau et marteau, caillou et cahier, comprimé contre les maux de tête et crème anglaise lyophilisée, livre et pantalon, pipe et clé, cire à cacheter et aspirateur, + et - , jusqu'au moment où il se lassa. Il se mit à dresser la liste des survivants miraculés : une ampoule électrique… et s'arrêta là. Il n'osa pas monter à l'étage : le grand escalier ne tenait plus qu'à un fil et à un clou. Il préféra se rendre dans sa chambre et s'allongea sur le tapis, la tête contre la caisse à outils. Ses hanches lui faisaient mal. Il ferma les yeux, mais le sommeil ne voulait pas venir.

Hip! La maison se tournait et se retournait, les pièces s'entrechoquaient dans le noir. Un bouton sauta de la panse d'un fauteuil et ricocha, hip! hip! de plus en plus fort, hourra. Des fils s'effilochaient à grand fracas. Des tornades s'élevèrent des tasses à thé et éventrèrent des sacs en papier. Hourra! Les portraits des ancêtres de Nieuwenhuizen se décrochèrent des murs et tombèrent. Hip! hip! Des jointures se disjoignirent, des vis se dévissèrent, des bondes se débondèrent, des verrous se déverrouillèrent, et ainsi de suite, houba houba, l'endroit tout entier se décollait. Malgas se tourna et se retourna au gré de la marée, *en nog'n piep.*[5] Le grand escalier glissa et disparut dans un envol éloquent de planches et de clous. Malgas rampa sous les lambeaux du tapis et les retint de toutes ses forces, tandis que des fragments de la maison s'écroulaient sur lui et rebondissaient contre le vide. Il entendit des voix chuchoter, le vent hurler, des rouages cliqueter. Il vit la silhouette familière du vieux toit de sa maison, et la patronne dans un cadre de lumière ambrée, incroyablement lointaine.

Puis la maison se mit à clignoter et à s'enflammer. Certaines parties éclatèrent dans la nuit, d'autres se ratatinèrent comme des feuilles de papier. Malgas était écrasé, aplati, plaqué au sol sous la maison.

Le temps passa.

Quand le carcan de la nuit laissa place aux petites heures du matin, Malgas entra dans un état de vigilance aiguë. L'air rugissait. Il résonnait comme un torrent de voix, pourtant, le bruit provenait du propre sang de Malgas et des murs qui haletaient. La maison essayait de se ressaisir. Malgas se redressa avec peine au milieu du courant. Il grogna et grommela avec la maison, elle l'inspirait et l'expirait, l'exsudait, le saignait et lui faisait mal. Puis l'air se mua en eau de vaisselle, comme si l'aube gouttait. La couleur embrasa les murs, s'empara des décombres, et inonda de soleil les espaces froissés.

Malgas se mit à gambader dans la lumière et la goba à grandes goulées. Elle écumait dans son sang, le piquetait de paillettes, et ses veines étaient gorgées de musique

---

5   Hourra, en afrikaans.

pétillante. Puis la douceur se figea quand la maison commença à s'ouvrir et les bords à s'éloigner. Malgas héla les parties qui lui étaient chères et les saisit doucement par leur nom, les berça sur sa langue un instant et les fit rouler sur ses papilles en souvenir du passé, avant qu'elles ne s'échappent de ses lèvres, ne perdent leurs couleurs, et ne s'évanouissent dans l'oubli.

La maison était criblée de trous où la nuit s'engouffra. Les chevrons devinrent charbons, le toit s'écroula sur la terrasse panoramique, et l'ensemble s'effondra. Des troupeaux de clous s'envolèrent dans le ciel. Etage après étage, au milieu des nuages de poussière et de rire, la maison s'effondra sur elle-même. Les murs s'embrasèrent, s'éteignirent et moururent, puis s'embrasèrent à nouveau – vacillant.

Le monde se vida de Malgas. Sur un écran vide, un clou unique se mua en un point final à la forme exquise.

Malgas avait perdu la parole. Il tomba, frappé de stupeur, et la nouvelle maison s'écroula avec lui, enfin. Rideau.

.

Mme Malgas passa la nuit à la fenêtre.

L'arrivée des déménageurs l'agaça (elle se sentait mise à l'écart, bien sûr) et elle songea à appeler la police. Mais observer les quatre hommes qui trébuchaient dans tous les coins, cassaient des objets et se marchaient dessus, écouter leur concert de pas lourds et de jurons eut sur elle un effet surprenant : elle commença à les trouver amusants. Ce n'est pas drôle, se dit-elle, et elle étouffa un ricanement. Nieuwenhuizen se laissa tomber sur le pied une barre d'haltères, et même s'il tourna la chose en dérision et dit qu'il n'avait pas mal, le patron se mit au

174

même instant à gémir à sa place. Les déménageurs gloussèrent sous leurs casquettes. C'est risible, en fait, corrigea la patronne, et elle éclata de rire. Elle rit, et rit encore; elle n'avait pas autant ri depuis des années.

Plus tard, quand les déménageurs s'assirent sur le trottoir pour se réchauffer devant un brasero et boire un coup, pendant que le patron se levait et se perdait dans un délire de terreur et de remords, elle sentit à nouveau un rire lui chatouiller l'arrière de la gorge. Mais lorsque des voitures atteignirent le sommet de la côte, tous feux éteints, et que des silhouettes se rassemblèrent en petits groupes, Mme Malgas, confrontée au va-et-vient de leurs voix, de leurs regards indiscrets, aux éclats de lumière codés que s'échangeaient dans l'air granuleux leurs verres de lunettes, elle eut la gorge serrée.

Les gens commencent à regarder, se dit-elle, et elle attendit le matin, déterminée.

Les avant-toits froncés de la maison des Malgas donnaient à son visage d'ordinaire ennuyé un air inquisiteur. Cette transformation sans conséquence contraria Nieuwenhuizen, qui s'apprêtait à se retirer et espérait avec impatience la venue d'un sommeil paisible.

Il crut voir la patronne se reculer de la fenêtre du séjour et regarder par-dessus son épaule, mais il lui sembla qu'elle n'était rien d'autre qu'une paille dans un œil aveugle. Il vit aussi le patron, plus proche de sa maison, et l'espace d'un instant, le trouva incompréhensible, comme une plaisanterie sans chute.

Sous l'influence maligne de ces pensées, Nieuwenhuizen conclut d'une voix lasse qui l'exaspéra lui-même: «Nous sommes condamnés au renoncement et à la répétition, tête et queue d'un vieux chien : l'une aboie, l'autre frétille. »

Et il s'endormit d'un sommeil profond.

*

M. Malgas reposait comme une victime de la violence actuelle dans une tombe de fortune. Les mots le traversaient, dégoulinants, et s'inflitraient peu à peu dans le sol. La nuit lui bloquait la nuque d'une main ferme, et cette main l'oppressait à chaque fois qu'il se sentait revigoré par une intonation familière ou une tournure de phrase inspirante.

Conspiration. Consanguinité. Contrariété. Confabuler. Conclavallière.

Il crut sentir des bottes lui piétiner le bas du dos et le haut des cuisses, l'estampant d'algèbre et d'étymologie. Des bruits de pas résonnaient dans sa cage thoracique. Plus tard, des doigts de lumière l'effleurèrent, il regagna la surface et donna des coups de pied contre le ménisque de la terre. Alors qu'il flottait là, une voix insistante commença à l'appeler, Malgas, Malgas, agrippa ses crochets sifflants à l'étoffe de sa peau, pour l'attirer violemment, vers le haut. Sa tête, gonflée d'air étouffant et engourdie par les échos de son nom, creva l'écorce terrestre. Il regarda le paysage étranger apparu sous son nez.

L'aube. Sa tête roula. Un service à condiments surgit dans son champ de vision – salière et poivrière en forme de tam-tam et pot de moutarde en forme de hutte. Derrière la hutte, les trois pieds d'un lutrin élevaient leurs troncs maigres ; derrière les troncs, culminait la façade d'une armoire à glace aussi grande qu'un gratte-ciel. Derrière le gratte-ciel, au loin, des montagnes se détachaient contre le ciel gris et prenaient la forme de sa maison. En un éclair de reconnaissance, tout son corps reprit consistance dans un afflux de sang, et Malgas fit irruption dans l'air. Il roula sur lui-même et se retrouva sur le dos. Tournant la tête d'un côté, puis de l'autre, il embrassa l'épave du regard: meubles, vêtements, bric-à-brac, ustensiles de cuisine, articles de toilette. Qu'est-ce que c'était que ce bruit? De l'eau qui coulait. Un tuyau cassé... non, jamais. «J'ai tout imaginé, se dit-il avec fermeté. Rien de cela n'était réel. Sauf cet amas de vieilleries et d'emballages bon marché. Je me demande ce que sont devenus les déménageurs. Sans parler d'Otto.»

M. Malgas se leva, et les curieux rassemblés dans la rue, à la lisière de la parcelle, approuvèrent d'un murmure. Il se frotta les yeux pour se réveiller, et se concentra sur ces gens. Ils émettaient un gazouillis comme l'eau sur des picrres, comme des coquillages vides qui s'entrechoquent dans les remous.

Quand ils sentirent sur eux la caresse légère de son attention, les badauds affirmèrent leur personnalité et précisèrent leurs contours en faisant des commentaires et en bombant le torse pour exhiber les étiquettes colorées et les slogans percutants imprimés sur leurs vêtements, mais ils ratèrent leur effet en parlant tous en même temps et en formant une masse compacte, épaule contre épaule, ventre contre dos.

Malgas plissa les yeux. Pas de doute. Il y en avait des centaines, retenus par des guirlandes de rubans rayés multicolores et des chaînes de policiers en papier. Des spots brillants montés sur de hauts trépieds lorgnaient par-dessus leur épaule, et derrière eux, d'autres lumières clignotaient sur les toits des voitures et des camions, et luisaient sur les échafaudages et les passerelles.

Malgas regardait. Les gens se turent, petit à petit, et lui rendirent son regard.

Il reconnaissait certains visages, au milieu des ampoules de flash qui éclataient çà et là, cachés en partie derrière les appareils photo. Madame Dworkin, un couple de serveuses, l'un des employés du gril, et Van As, le magasinier. Bob et Alison Parker, et aussi les Helpmekaar – ils possédaient la papeterie à côté des escaliers mécaniques. Dinnerstein. Le Grec du café du coin. De la famille de la patronne, venue de la côte. Venter, son petit cousin glouton. On comptait aussi des amis et des voisins – ça faisait un bail! – des fidèles de la Ligue de Défense Civile, le trésorier de l'Association des Contribuables, comment s'appelait-il déjà?... De Lange. Il y avait des clients, Benny Buys avec son nouveau t-shirt du Roi de la Quincaillerie, des enfants, des petits-enfants, des neveux, des nièces et des représentants de commerce. Le facteur. Les déménageurs, cernés de photographes (actualité et mode). Des médecins et des infirmières, des avocats, des ingénieurs en génie électrique, des décorateurs d'intérieur, des mineurs, des maraîchers, des caissières, des chauffeurs de taxi et des emballeurs de supermarché (pour n'en citer que quelques-uns) Malgas comptait des dizaines de visages connus, qui souriaient et lui adressaient des signes de tête, mais leurs noms lui échappaient. Il y en avait une multitude d'autres, voués à rester des étrangers. Des milliers, perdus de vue, et des millions – non, des milliards, complètement absents! Et au-delà de tous ceux-là, la majorité vaste et silencieuse des morts et de ceux qui n'étaient pas encore conçus.

Pour une raison inconnue, ce flot de pensée spéculative rassura Malgas et, pour d'autres raisons plus faciles à comprendre, lui rappela Nieuwenhuizen. Il se leva. La foule, généreuse, salua son effort. Son corps entier le faisait souffrir, de la tête aux pieds, il grimaçait et grommelait tout en se frayant un chemin vers le campement, au milieu des débris. Les appareils photo immortalisaient le moindre de ses élancements et l'agrandissaient; les microphones absorbaient ses plus légers grognements et les amplifiaient.

La tente tenait toujours debout, et Nieuwenhuizen, à l'intérieur, y dormait comme une souche. Sa respiration paisible faisait onduler les murs de toile et en animait les cordes. M. Malgas se dit qu'il allait le réveiller avec une tasse de thé. Il trouva le gadget pour la bouteille de gaz et la bouteille elle-même au milieu du fouillis au pied de l'arbre; il trouva la marmite fourrée sous la haie; mais il ne trouva pas d'eau. Le baril était vide. Pendant qu'il sondait les marmites et les pots, la fermeture éclair s'ouvrit dans un sifflement, et Nieuwenhuizen sortit la tête.

Les gens répondirent par un déploiement spectaculaire de paumes miroitantes et de flashs.

Nieuwenhuizen saisit la situation d'un seul regard.

«Qui sont ces gens, Malgas?

— La société en général.

— Je ne vous le fais pas dire.»

Nieuwenhuizen s'extirpa de la tente et se redressa avec fracas. La foule l'acclama et se pressa contre les barrières. Nieuwenhuizen dénicha une paire de jumelles et passa la foule en revue.

«Ridicule, se dit M. Malgas. Il peut bien appeler ça des jumelles, si ça lui chante. Mais pour moi, il s'agit de vulgaires bouteilles de bière brune attachées avec du fil de fer.

— Hum, vous avez raison, dit Nieuwenhuizen. C'est bien eux. Les gens. Des membres du comité directeur, et des quidams. Une belle brochette d'amateurs de sensationnel, aussi, dirais-je. Des automobiles. Les leurs, j'imagine. Des cars, oui, mini et de tourisme. Et ça, qu'est-ce que c'est ? Des antennes de télévision, des toits, des clochers. Le monde extérieur, à coup sûr. J'aurais dû me douter qu'ils finiraient par arriver, et juste à temps pour qu'il soit trop tard.

— Je peux essayer de voir ce qu'ils veulent.

— Merci, mais ce ne sera pas nécessaire. Je vais préparer quelques affaires, puis on prendra un dernier verre, et on fera un brin de causette.»

Nieuwenhuizen exhuma la valise de sous un tas de bois flotté, rassembla quelques affaires – la lampe tempête, la marmite à deux pieds, le clou – et rampa à nouveau dans la tente.

La foule se délectait derrière les barrières et son enthousiasme retomba avec un soupir collectif.

La patronne mangeait ses corn-flakes devant la télévision. Dans le dernier flash infos, elle vit Nieuwenhuizen et le patron, assis sur des pierres devant la tente, le regard plongé dans les cendres, en pleine discussion. Les mouvements de leurs bouches étaient filmés en gros plan, et elle regrettait de ne pas savoir lire sur les lèvres. Leurs visages apparaissaient parfois plein cadre – celui de l'Autre, tout en ombres meurtries et lignes pointillées – ainsi que leurs mains, agrippées à des couteaux et des fourchettes tordus, des tasses dentées et des assiettes en carton, tous vides.

Puis la caméra recula à distance respectable, et fit un panoramique du site, révélant les meubles et les effets personnels défraîchis de Nieuwenhuizen. Dehors, ses biens mobiliers paraissaient pathétiques, couverts de givre, offerts à tous les regards. Mais d'où venaient tous ces gens? Qu'est-ce qu'ils voulaient? La caméra lut dans ses pensées, et lui montra l'expression avide de la foule, puis les bibelots démodés, piétinés, enfoncés dans le sol. Il y avait là une chaussure en porcelaine, grandeur nature, qui lui parut familière, un vase en forme de cygne, un joli service à thé, la figurine en biscuit d'une femme surprise par la pluie, un support pour boîte d'allumettes aux armoiries d'une bourgade de bord de mer. Que fabriquaient donc ces babioles, à la télévision? «Qu'est-ce qu'on attend? Qu'est-ce qu'on attend?» La patronne se détourna de ce spectacle dérisoire, alla à la fenêtre, et regarda le drame réel. Nous y voilà.

Seau, deux litres, rouge, plastique. Etoile de mer (échinoderme), cinq bras (six?), rose, endormie. Pelle, bleue, plastique. *Ex unitate vires.*

Puis Mme Malgas descendit l'allée du jardin, chargée d'un plateau comprenant deux assiettes de bacon croustillant et d'œufs au plat, deux tasses (J'aime le bricolage pour le patron et celle avec la grenouille pour Lui), des sachets de thé, un sucrier, un thermos rempli d'eau chaude, des couteaux et des fourchettes, du sel et du poivre, de la sauce tomate dans une tomate en plastique, de la sauce Worcester dans une tour de Babel en plastique, et un paquet de serviettes en papier. Dans un cabas à provisions qu'elle portait à l'épaule, elle avait mis des barres chocolatées, des paquets de berlingots, des sachets de Toppers et de Splash sous emballage étanche, du coton hydrophile, un tube de Guronsan c, une bouteille de désinfectant et une boîte de pansements (26 bandes, 8 carrés et 6 ronds).

«Qu'est-ce qu'on attend? Ça devient agaçant!»
La foule commença à taper lentement dans les mains pour accompagner sa psalmodie. La patronne plongea dans la foule, qui s'écarta comme par miracle devant les assiettes fumantes, et elle se retrouva contre la barrière. Un policier essaya de lui barrer le passage en lui pinçant le bras, mais elle le réprimanda d'un ton sévère; il était assez jeune pour être son fils.

«C'est mon mari, là-bas, le patron, et son copain Otto. Dégagez.»

Elle se glissa sous la barrière et avança vers le campement. Une vague d'excitation parcourut la foule et la psalmodie s'accéléra. Elle eut toutes les peines du monde à ne pas prendre ses jambes à son cou. Sous ses pieds, le sol avait la consistance d'un Brie bien fait et collait à ses pantoufles de laine. Elle se fraya un chemin au milieu d'un champ de mines de bibelots, et au passage, essaya de se rappeler l'emplacement du canard, du colvert en céramique, de la pintade aux plumes de graines de tournesol, de la chouette en pomme de pin et de l'œuf d'autruche représentant la cité d'or, Johannesburg.

L'entrée de Mme Malgas sur la parcelle fut un modèle de dignité et de retenue: elle avança avec précaution, mais d'un air décidé, la tête bien haute et les épaules en arrière. Sa robe à sequins ondulait comme une eau baignée de soleil. M. Malgas se leva et la regarda, médusé. Elle chemina sans s'arrêter, inculquant à ses membres tremblants tous les principes d'auto-défense en milieu hostile. Mais elle eut beau faire, la foule ne se soucia pas une seconde de cette dignité humaine et prit cette apparition longtemps différée pour un signal indiquant que le territoire interdit ne l'était plus. La foule se souleva, poussée par la curiosité et l'instinct de possession, et emporta dans son déferlement barrières et policiers.

La patronne regarda par-dessus son épaule, et se figea, saisie d'incrédulité, tandis que la foule se déversait sur elle. Le patron lui-même restait cloué sur place, écoutant l'écho des dernières paroles de Nieuwenhuizen. Ce dernier, pour sa part, se leva calmement devant la marée montante, comme s'il avait fait ça toute sa vie, saisit sa malle et d'un saut hardi, atterrit dans les branches de l'arbre. Les jambes écartées, il ouvrit les doigts, et en un clin d'œil, se volatilisa.

La foule qui avançait à flots découvrit le spectacle et s'empara de ce qu'elle put. La patronne fut piétinée. Au dernier moment, le patron reprit ses esprits. Il se mit en tête de récolter des gadgets, avec l'idée vague qu'ils étaient empreints d'une signification historique. Malheureusement, par ce geste irréfléchi, il attira l'attention sur ces objets, qui seraient passés inaperçus, leur conférant une importance particulière, et la foule fondit sur Malgas pour lui dérober son butin.

Quand tout fut terminé, une fois le camp dépouillé de tous ses objets de valeur et d'une quantité non négligeable de camelote, la foule se retira, emportant ses blessés et laissant derrière elle un modeste champ de ruines, des loques et du petit bois. Elle laissa aussi derrière le patron, abandonné sous un lambeau de toile accroché à un poteau de bois, flottant au vent.

C'est là que la patronne le trouva.

«J'ai pu sauver quelques bidules, dit-elle pour lui remonter le moral.

— Non, non, répondit-il, en lui prenant le panier des mains pour déverser les oiseaux morts sur le sol. Il a tout perdu, mais il s'y est résigné, et moi aussi.»

Elle lui prit le drapeau et le posa. Elle emprisonna la main douce et réticente du patron dans la sienne et le ramena à la maison, le baigna, le sécha, le talqua et le borda comme un bébé.

«C'est bon d'être à nouveau dans son lit»
Il effleura sa joue salée et sombra.

*

Le patron renifla. Du bois brûlé? Il s'approcha de la fenêtre. Nieuwenhuizen triait les décombres et jetait des objets au feu. Malgas aurait voulu qu'il lève les yeux et le salue, mais il n'y avait rien à faire.

«Ecarte-toi de cette fenêtre», dit la patronne, qui déposa deux œufs dans une cuillère, puis dans une casserole d'eau bouillante, et remonta le minuteur.

Le patron s'assit à la table et poussa un gros soupir.

«Je suis désolé, la patronne. Voilà, c'est dit.

— Tu n'as pas besoin de t'excuser. Je suis surtout reconnaissante que tu aies retrouvé le sens commun tant que nous avons encore un toit au-dessus de la tête et de quoi remplir nos assiettes. Grâce au ciel, tout est redevenu normal.

— Nous sommes revenus au point de départ... mais on ne peut pas faire semblant de croire que les choses sont comme avant.

— Des mots, tout ça! rétorqua la patronne, qui comprit de travers. Il ne faut pas faire semblant. Cela ne nous va pas. Poursuivons simplement le cours de notre vie.

— D'accord.

— Dommage. Tu vas t'en sortir. Un jour, tu repenseras à tout ça et tu t'apercevras que tu arrives à en rire.

— J'en suis déjà capable.»

Pour preuve, il partit d'un gros rire qui sonna faux. «Moi aussi. Allez, mange ton œuf, sans quoi ça va refroidir.»

«Il a arpenté le terrain toute la journée, on aurait dit un aspirateur, raconta la patronne au patron ce soir-là, à son retour du travail. D'abord, il a ramassé tous ses machins, en a rangé certains dans sa valise, et a empilé le reste. Puis il a cassé les gros morceaux dont il ne voulait plus en morceaux plus petits et il les a brûlés. L'odeur! Il a creusé un grand trou grâce à cette pelle que tu lui as prêtée et qu'il n'a jamais eu la courtoisie de te rendre, et il a enterré tous les bidules qui ne voulaient pas brûler. Tout est rentré. N'empêche qu'il a tassé le tout avec un poteau de bois, après quoi, il a jeté le poteau par-dessus la haie. Pour bien aplatir le tout, il a rempli le trou avec les cendres et le sable qu'il avait déterrés. Il a répandu à nouveau du sable et des petits cailloux. Puis il a reculé, sur toute la longueur du terrain, en griffant la terre avec une branche et en semant des poignées de brindilles, pas plus grosses que des boudoirs. Quand il a eu fini, il n'y avait plus de trace de son passage.

— Il est encore là, dit le patron en essuyant la vitre embuée pour y ménager un hublot.

— Non. Il est parti depuis longtemps.»

Le patron et la patronne pensaient entendre l'information pendant le journal, mais ils se trompaient. «C'est trop tôt.

— C'est trop tard.»

Le soleil se coucha. Nieuwenhuizen regarda le mur et la maison. Peut-être était-ce la lumière qui lui jouait des tours, mais au moment où le soleil plongea derrière le toit des Malgas, les soleils de leur mur lancèrent une horde de rayons ternes, qui s'allongeaient de plus en plus, de sorte qu'ils semblaient s'élever.

Nieuwenhuizen ramassa sa malle et se retrouva à la lisière de la parcelle. Il s'assit au bord, dans l'obscurité retombée, et un doigt levé, examina la rue.

Achevé d'imprimer
en décembre deux mille onze
sur les presses de L.E.G.O. à Lavis, Italie,
pour le compte des Éditions Zoé
Composition Joseph Maye, Genève